1

Título del Libro:

La Sociedad Enferma y Demente: algunos de sus enemigos expertos y de sus víctimas más destacadas

Nombre Autor:

SIGFRIDO LOSADA TORREIRO

El 5% de los beneficios de la venta de este libro se destinará
íntegro a Amnistía Internacional sección española.

email de contacto con el autor: beltaine38@gmail.com

ISBN papel: 978-84-686-5747-9
ISBN digital: 978-84-686-5748-6

Impreso en España
Editado por Bubok Publishing S.L

Dedicatoria;

Dedico este pequeño libro a mis padres Aurelio y Mª del Carmen, que algo tuvieron que ver para que sea yo el "objeto con mente"(en palabras de Angel Riviere), que soy. A mi hermano Luis Losada, a mi ex DªHelena Zapke Rodriguez , quien durante algún tiempo ha sido mi "guru" y su compañero Carlos, al escritor e investigador D. José Lesta, a mi perro Spook, a mi profesor D. Fernando Broncano por abrirme perspectivas insospechadas en el camino del conocimiento, a la psicóloga heterodoxa, Dª Paloma Cabadas (y a Ana Rico de cursos Madrid), al psicólogo transpersonal D. Manuel Almendro, a todos y todas los participantes y/o oyentes de los programas :Milenio 3(en la cadena ser) La Rosa de los vientos(en onda cero) , Espacio en blanco (en radio nacional)y Milenio (de la radio galega).

También lo dedico a todos los miembros socios y activistas de Amnistía Internacional y a todas las víctimas de violaciones de los derechos humanos.

Citas:

*"La libertad, la Justicia y la Paz en el mundo, tienen por base el reconocimiento de la dignidad intrínseca y de los derechos iguales e inalienables de todos los miembros de la familia humana;

El desconocimiento y el menosprecio de los derechos de la persona originaron actos de barbarie ultrajantes para la conciencia de la humanidad, y que se ha proclamado, como la aspiración más elevada del hombre, el advenimiento de un mundo en que los seres humanos, liberados del temor y de la miseria, disfruten de la libertad de palabra y de la libertad de creencias;

Esencial que los derechos humanos sean protegidos por un régimen de Derecho, a fin de que el hombre no se vea compelido al supremo recurso de la rebelión contra la tiranía y la opresión"

Preámbulo de la Declaración Universal de los Derechos Humanos adoptada y proclamada por la Asamblea General de la Organización de Naciones Unidas en su resolución 217A(III)del 10 de Diciembre de 1948.

*Artículo 19

Todo individuo tiene derecho a la libertad de opinión y de expresión; este derecho incluye el de no ser molestado a causa de sus opiniones, el de investigar y recibir informaciones y opiniones, y el de difundirlas, sin limitación de fronteras, por cualquier medio de expresión.

Declaración Universal de los Derechos Humanos adoptada y proclamada por la Asamblea General de la Organización de

Naciones Unidas en su resolución 217A(III)del 10 de Diciembre de 1948.

*"Todos los que quieren hacer triunfar una verdad antes de su hora ,corren el riesgo de acabar siendo considerados unos herejes".(Teilhard de Chardin).

* "Cada niño que nace nos trae un mensaje de que Dios aún no ha perdido en la esperanza en los hombres". (R. Tagore).

*"Si lloras la pérdida del sol ,las lágrimas no te dejarán ver las estrellas"(R. Tagore)

*"¿Para qué sirve la Revolución si no podemos bailar?"(frase atribuida a Emma Goldman)

* "No sientas envidia por la felicidad de otros que viven en un Paraíso de necios ,pues sólo un necio puede creer que eso es la felicidad".(punto 10 del Decálogo Liberal del filósofo y Premio Nobel Bertrand Russell).

*"es el mundo del hombre robot, que se esconde en sus hábitos rutinarios fabricando un imposible paraíso artificial, planteado en una lucha contra la naturaleza .el fin de la historia que se preconiza desde posiciones plastificadas, será el fin, pero por su fracaso. Hoy somos un esperpento noticiero, un deshecho del maravilloso Renacimiento, que comenzó superando el ahogo en lo divino para confiar y realizar en lo humano. Sólo que hoy apuramos ya la copa de Leonardo(Da Vinci),expoliando nuestra casa, nuestra única casa (El Planeta Tierra),en aras de la soberbia de nuestro "poder", en un

proceso en el que llega antes la ciencia que la consciencia; la capacidad mortífera de nuestros inventos que la dudosa capacidad para neutralizar nuestros odios.

Por todo ello, por esa orientación de la vida hacia el engorde ciego y materialista, la adicción al consumo de objetos inservibles, la ansiedad del éxito a cualquier precio, de poder, de dinero, en una sociedad que se debate entre el temor a la guerra que pueda producirse por el "paro" y la fabricación de venenos, y en una civilización que huye de su auténtica naturaleza por el miedo a la muerte y por vender un consumo expoliador de la energía de la vida, perdiendo la brújula de lo evolutivo. El no querer renunciar a ello, el seguir a toda costa una manipulación y adicción a la adquisición que encubra el miedo al vacío cósmico y a la incertidumbre de nuestra presencia, claves de la insatisfacción inabarcable y de la impermanencia en la que se enseñorea la muerte, despreciando las enseñanzas tradicionales y actuales para superar este vacío, hace que la Humanidad se prepare para la guerra ,y sólo un reducido número de personas vea dolorosamente este proceso, lo que tal vez nos lleve al buen puerto de una transformación inevitable o a la autodestrucción definitiva. Todo ello podrá suceder si no somos capaces de realizar una transformación que esté más allá de la destrucción y de la guerra .Los medios de comunicación, la contaminación televisiva que programa violencia y sexo adulterado, se dirigen a fijar al hombre-robot, no se dirigen al ser individual particular, con mente y corazón. También, en la mayoría de los casos los líderes se dirigen a mantenerse en el poder a cualquier precio, en vez de compaginarlo y orientar sus energías a la evolución de las gentes. en realidad todo lo que hoy se está produciendo se dirige a y es dirigido por el engorde del ego. a ello se dedican nuestros inventos y nuestros objetivos adquisidores. La violencia autodestructiva que programa a los más receptivos-los niños- prevalece en el Occidente "culto" y arrogante con un "alto índice de crecimiento". Al final siempre habrá en donde hacinar a los reclusos para que se autodestruyan creyendo así que acabamos con el mal. Ésa es la alucinación de nuestro progreso, encerrado en un blindaje generalizado. El tecnocientifismo se erige como todopoderoso y como poseedor de la verdad en un planeta marcado por el misterio de nuestra propia presencia. Maslow ya criticaba a las personas científicas como rígidas y estrechas, temerosas de su inconsciente". Habla de "la ciencia como no humana". Sin embargo también habla del "científico creativo y del científico trascendente". Para Tart el cientifismo es una ciencia interpretada como una "religión dogmática". Para este autor,la ciencia defiende "una visión distorsionada del mundo". Dado que ignora el aspecto emocional e intuitivo de la vida y cree alcanzar una objetividad que no posee en absoluto, la ciencia moderna está abarrotada de creencias emcionales implícitas, escondidas y , a menudo , debilitantes, y de valores que han dañado al espíritu del hombre".

La mecánica tecnocientifista en su separatividad,en el alejamiento de una visión compleja y totalizadora de la vida, reduce la persona a un conjunto de componentes que son modificados por el ambiente. El científico clásico excusado en su poder, se encierra delegándose en el objeto, siempre externo, de su estudio. Da la impresión de que su propia y personal experiencia (a la que tal vez le tenga miedo) es desaconsejada por su entorno corporativista, del que se alejará y se colocará en entredicho si la considera y la exterioriza, experiencia que, paradójicamente soporta su propia presencia en la vida, hoy todo ello bajo la influencia del pragmatismo externo y oficial de raíz anglosajona. Lo cierto es que somos todos nosotros quienes lo hemos creado así, no sólo la ciencia sino el tipo de sociedad que nos contiene. Hemos basado la vida en una máquina newtoniana de piezas sin interrelación ni relojero. Hemos separado cartesianamente el espíritu de la materia, así que cada cual puede manipular ésta a su antojo, pues ya no hay guía ni conexión con lo sublime. El efecto es lógico y concatenante ; estamos perdidos huyendo del sufrimiento de la muerte, agarrándonos maliciosamente a creencias y posesiones, incluso matando por ellas. El tecnocientifismo, unido al móvil económico especulativo se ha convertido en un fundamentalismo poseedor de la verdad, que afirma bajo grandes títulos que somos una máquina genética programada, sumiendo a los ingenuos en la desesperación. Así estamos, el telediario necesita de terapia; presenta un cuerpo emocional cada día más agarrotado. O tal vez aseptizado en vericuetos intelectuales que son los que más visten, siempre que esas emociones no irrumpan tirando la casa y a sus moradores por la ventana. Este intelecto todopoderoso y señor de estas tierras , en las que con su incesante diálogo interno dinamita toda posibilidad de evolución, aparece como un hámster dando vueltas sobre su ruedecita de Tántalo con visos de agotamiento, aunque su ego presuma de laboriosidad y de jaula de oro. Esperemos que en un momento pare..."

Páginas 11 y 12 y 13"Psicología y Psicoterapia Transpersonal" Manuel Almendro . Ed.Kairós

Índice:

15

0-PRÓLOGO-INTRODUCCIÓN :

"...La Sociedad Moderna se ha vuelto psicótica, una verdadera fábrica de locura. Desgraciadamente, tal como van las cosas, invertir en la industria de los antidepresivos y de los tranquilizantes parece ser la mejor opción en el Siglo XXI"

"Si te despiertas cansado, padeces de dolores de cabeza, estás ansioso, sufres por anticipado, sientes dolores musculares, no te concentras, te falla la memoria o experimentas otros síntomas semejantes, te hará bien saber que eres normal, pues en la actualidad difícilmente haya alguien que no esté estresado".

(Augusto Cury, Psiquiatra Brasileño de su libro : "nunca renuncies a tus sueños").

"Dios creó al mundo en 7 días y se nota": así se titula un libro recientemente publicado por el humorista Luis Piedrahita. No se nos escapa a nosotros tampoco(a casi nadie ya ,supongo)que estamos muy lejos de vivir en el mejor de los mundos posibles como comentaba el famoso filósofo y matemático Leibnitz allá por el siglo XVII: a las pruebas me remito, basta con abrir cualquier periódico o escuchar las noticias en radio ó TV, para contemplar un lamentable espectáculo casi diario de catástrofes naturales(en su mayoría inevitables , al menos con la tecnología de que se dispone actualmente)y también de catástrofes causadas por el Hombre: guerras, epidemias(por una deficiente salubridad o por falta de vacunas, por ejemplo, por ello las considero como fallo humano),violaciones reiteradas de los Derechos Humanos, corrupción y un larguísimo etcétera.

Tal vez si no existiera "el Mal", así con mayúsculas, sí que sería éste el mejor de los mundos posibles, incluso en el supuesto de que nada ni nadie nos ahorrase los considerables inconvenientes que lleva aparejado el mero hecho de vivir, como son : el dolor, la enfermedad, la vejez y la inevitable muerte. Si se suprimiese el mal "evitable", es decir , el producido por los seres humanos unos a otros y, especialmente, "algunos seres humanos" a otros o a todos, la cuestión sería sin duda muy distinta. Existe una rama del saber que se ocupa de estudiar las causas del Mal y que se llama Ponerología.

Nuestro objetivo aquí y ahora es hablar de la Sociedad Actual, especialmente la que se suele conocer como Occidental y más concretamente, Europa ,los USA y profundizando un poco más tal como viene dada en España.

Esta sociedad occidental u "occidentalizada" en la que vivimos dista mucho de ser el Ideal(tanto da qué parámetros utilicemos para llegar a esta conclusión ahí están de acuerdo un sinfín de personas de varios credos políticos, filosóficos ,morales y religiosos: gente tanto de la derecha como de la izquierda, tanto ateos, como creyentes) : La sociedad occidental actual está /es, profundamente enferma, demente ,esquizofrénica y psicótica(de todo eso vamos a tratar en este libro),ahora bien, no hay que olvidar que, en otras sociedades, aún está la cosa peor :especialmente en materia de Derechos Humanos y en desigualdad especialmente económica.

La sociedad occidental, lleva siglos estando profundamente enferma(tal vez incluso desde antes del advenimiento del hecho del Cristianismo, pero eso es otro tema),sólo que es ahora, desde hace unos 100 años hacia acá, que la situación está adquiriendo proporciones apocalípticas y los hechos se están tornando verdaderamente preocupantes: si bien es cierto que desde un punto de vista estrictamente tecnológico y material se han producido progresos impensables desde hace 100 años, no es menos cierto que nunca hasta el Siglo XX se produjo la terrorífica oportunidad de aniquilar a toda la población humana mundial con un holocausto Nuclear, por ejemplo, de un "plumazo", y de poner en peligro la habitabilidad del planeta Tierra para los seres vivos y las generaciones futuras de seres humanos durante siglos.

En cuanto a la contaminación medioambiental, tal vez incluso ya sea tarde para dar marcha atrás a la tendencia de deterioro del entorno, tal vez ya hayamos comprometido seriamente los ecosistemas en los que van a vivir no sólo nuestros hijos sino también nuestros nietos y bisnietos. Al hilo de esto no está de más recordar el video y el libro de el demócrata Al Gore :"una verdad incómoda", sobre las escalofriantes consecuencias del cambio climático y que ya están comenzando a tener lugar.

Por otro lado, a pesar de todas las promesas anunciadas primero por la Industria alimentaria ,posteriormente por las mejoras técnicas en la agricultura(por ejemplo introducción de mejores y más eficaces fertilizantes y pesticidas)y, posteriormente por la Revolución Biotecnológica y la alucinante pretensión, hecha realidad, de algunas multinacionales(entre las que se encuentra Monsanto) de patentar vida, esto es semillas que germinan y dan fruto pero que no producen nuevas semillas. Nada de todo esto ha conseguido aún acabar con la terrible y dramática pandemia del hambre en el planeta.

De otra parte, mientras que los Medios de Comunicación se supone que nos abren ventanas al mundo, el hecho real es que ni la televisión "basura" ni el genial invento que es internet con sus formas de comunicación como los chats, el correo electrónico o la videoconferencia, ni los teléfonos móviles palían el problema de la soledad de muchas personas en los "países desarrollados": soledad y sus consecuencias que se manifiestan en : ancianos y niños abandonados, familias rotas y desestructuradas, mujeres maltratadas y epidemias psicológicas de angustia-ansiedad, pánico y depresión entre otras.

Antes de terminar con el plan de esta pequeña obrita, voy a realizar algún comentario más:

Por ejemplo, un conocido mío al que no voy a nombrar, partidario él de que esta sociedad siga siendo una mierda, me decía: "… Es que si no, esto sería el Paraíso"…Así pues dejo una idea para la reflexión:¿A quién beneficia que la Tierra no sea el Paraíso, Patria de la Humanidad y que el hombre no sea del hombre hermano, como rezaba la letra del conocido himno de la Internacional(y ya adelanto que no soy comunista)…

Parte de la culpa la tenga tal vez aquel concepto de la "Condición Humana" que no sé si sólo popularizó o también lo acuñó la prestigiosa pensadora judía alemana y amante de Heidegger , Hannah Arendt, con todo, me inclino a creer que el Ser Humano- hombre o mujer- es bueno por Naturaleza y es la Pervertida Sociedad la que lo malea y corrompe, frustra, desanima, altera,…,etc.

De algún modo , todos somos responsables del estado actual de las cosas pues tod@s contribuimos a que la sociedad actual sea como es, algunos deliberadamente, otros por miedo, indecisión, pereza, ignorancia o cobardía.

Tod@s somos, insisto, responsables del caos actual de la sociedad que, a su vez es consecuencia del caos previo: el legado de las anteriores generaciones, pero no debemos diluir la responsabilidad, pues , evidentemente, hay pesos ponderados en el poder de decisión y en el "Poder " en general: así serán los Estados y sus brazos armados y la economía de mercado, especialmente las grandes corporaciones los principales responsables de cómo es la sociedad en la que nos toca vivir ,del actual estado de cosas.

Repito, sin querer ser pesado : LA SOCIEDAD LA FORMAMOS TODAS Y TODOS(aunque ,como venimos antes de señalar, no tod@s contamos con el mismo poder de decisión, pues ya apuntaba acertadamente el genial y visionario escritor Orwell, en su libro "animal farm"(rebelión en la granja) que : "all the animals are equals but some animals are more equals than the others(todos los animales son iguales pero unos animales son más "iguales" que otros).

En general podemos atrevernos a decir que los habitantes del llamado Primer Mundo, vivimos en un estado de elección permanente entre muy diversas dicotomías o entre abanicos variados de posibilidades: por ejemplo, tenemos que elegir (o, al menos, muchas veces separamos estas categorías) entre amor y sexo, seguridad y riesgo, obediencia y rebelión, lo material y lo espiritual, vida activa y sedentarismo, salud o tabaco, carne o pescado ,perro o gato como animal doméstico,…,etc., por reflejar tan sólo algunas de estas variadas elecciones. Casi nunca se trata de elecciones puras y radicales, sino que dichas elecciones van oscilando en un continuo cuyos dos polos extremos serían entre otras, las categorías a las que venimos de hacer mención: por ejemplo, sólo sexo sin amor , sería un extremo. El otro, claro está sería sólo amor sin sexo. Y a su vez , entre el blanco y el negro caben casi infinitos tonos de gris.

Todo esta reflexión sobre las decisiones que al amable lector le puede parecer superflua viene a cuento de situar o que nos ocurre como individuos de la sociedad a la que pertenecemos y es lo que en su día se llamó la "hipótesis del Doble Vínculo" para tratar de explicar la Esquizofrenia y que procede que yo sepa, del antropólogo, científico social, lingüista y cibernético Gregory Bateson. Citando de Wikipedia española:

http://es.wikipedia.org/wiki/Wikipedia:Portada

Se trataría por tanto de una situación como por ejemplo el preguntarle a un niñ@ pequeño : "¿ a quién quieres más a Mamá o a Papá?", Decirle a un niño" que no debe ser agresivo y no castigarle cuando da una patada adrede a un compañero jugando al fútbol,…,etc.

Salvando las distancias y tomando con precaución las extrapolaciones   y comparaciones de lo que no son más que metáforas o "modelos " que nos ayudan a describir la realidad objetiva, podemos decir que el mismo fenómeno le ocurre a la sociedad. Ejemplos:

1-. Los líderes religiosos, los moralistas, los profesores dicen una cosa y hacen otra muy distinta : rara vez predican con el ejemplo, como hacía Jesucristo y lo mismo hacen la mayoría de las personas a las que van dirigidos sus discursos.

2-. Lo que se da con la mano derecha se quita con la izquierda ,para muestra un botón el Festival de Música avanzada y Arte Multimedia más conocido como Sónar, en Barcelona ha estado varios años patrocinado por el Ministerio de Educación ,Cultura y Deporte, en ese Festival se consumen muchas drogas de diseño, esas mismas drogas son a su vez perseguidas por funcionarios del Ministerio del Interior: por tanto, un ministerio tal vez sin pretenderlo fomenta el consumo y otro lo reprime.

El panorama es verdaderamente desolador: de eso no cabe duda , es por ello que , en este breve (e intentaremos que) enjundioso ensayo nos proponemos bosquejar y documentar los síntomas y daños provocados por la sociedad enferma, mostrar a vista de pájaro lo que opinan algunos de los más expertos enemigos de la sociedad actual y también presentar a algunas de sus innumerables víctimas, en este caso concreto a algunas de aquellas de entre las- insistimos- muchísimas víctimas, algunas de aquellas que han conocido la celebridad por uno u otro motivo. Por último plantear algunas posibles soluciones y/o alternativas y sembrar algunas semillas de esperanza en este terrible caos.

Entre los enemigos expertos puedo decir que son todos los que están ,pero que no están todos los que son, cabría añadir los siguientes:

*Por ejemplo, nada menos que Krishnamurti el célebre pensador y teósofo, dijo que no es signo de salud mental el mero hecho de estar bien adaptado a una sociedad enferma .

*El ya fallecido no ha mucho –Premio Nobel portugués José Saramago también comentó que vivimos en una sociedad esquizofrénica que ha preferido la barbarie a la belleza.

*El escritor Tom Sharpe también dijo en su día que vivimos en una sociedad esquizofrénica.

*Gilles Lipovetsky también afirmó que vivimos en una sociedad esquizofrénica.

* el célebre" Guru" hindú Osho también añadió que vivimos en una sociedad enferma y que la alternativa para el Siglo XXI está entre Meditación o Suicidio global(al hilo de ésto , André Malraux había pronosticado: "el siglo XXI será espiritual o no scrá")

Existen más figuras menos populares pero también de "peso" por sus conocimientos expertos que también abundan en que la sociedad en la que vivimos es enferma, demente, psicótica y esquizofrénica:

*Por ejemplo; Juan Antonio García Amado, catedrático de Filosofía del Derecho de la Universidad de León, para quien vivimos en una sociedad esquizofrénica con una muy innecesaria hipertrofia legislativa.

* Una institución tan respetada en España como Cáritas Diocesana tiene publicado un libro que lleva por título : "España ,Sociedad enferma".

Tal vez de este libro alguien pudiera decir lo que dijo Bernard Shaw de una obra:" las partes buenas no son originales y las originales no son buenas", cualquiera que lea hasta el final verá por sí mismo que esto no es así, no obstante , si se produjera una crítica similar no me preocupa en lo más mínimo puesto que , la originalidad de este libro radica más que en la aportación de ideas novedosas(que también) en haber recopilado en un solo lugar, algunas de las muchísimas pero muchísimas críticas demoledoras que se le podrían realizar a la sociedad occidental actual, recoger a algunos de los numerosos enemigos expertos(con sus correspondientes críticas bien fundamentadas) y algunas, tan sólo algunas ,de las muchísimas víctimas célebres(por no hablar de l@s millones de víctimas anónimas).

Por cierto, sobre las víctimas que recojo, quiero comentar que de ningún modo la selección ha sido arbitraria: he recogido a alguna mujer, porque en general sólo se suelen incluir protagonistas masculinos aunque poco a poco la llamada perspectiva de género hace que se tome en consideración que las mujeres son protagonistas del 50% de la Historia.(Martha Mitchell), a alguna persona relacionada con -o favorable a- las personas LGTB(Otto Gross),a personas de otras etnias y no blancas(l@s personas chin@s practicantes de Falun Gong :víctimas psiquiátricas y de genocidio de su propio gobierno),y, para ser completamente plural me ha faltado alguien de las que se pueden denominar personas discapacitad@s.

Si llego a una edición posterior procuraré incluir también a alguna persona de estas últimas características. En cualquier caso el presente escrito no es más que una breve pero densa introducción : se podrían escribir varios volúmenes de cientos de páginas para tratar estos temas con la profundidad que requieren dada su complejidad.

Por último destacar que tal vez alguien que me lea pueda decir que me baso mucho en" san Wikipedia", así pues a est@ posible crític@ le comento:"¡Naturalmente!": los recursos están para ser utilizados y un magnífico recurso educativo y al alcance de todos como Wikipedia no debe ser desdeñado. Aunque tiene sus fallos ,es una herramienta muy útil para una primera aproximación a cualquier tema de consulta .Es más: animo a todo el mundo a hacer un uso continuo y permanente de Wikipedia(así como a colaborar con donaciones, para su mantenimiento para que siempre siga siendo gratuita y sin publicidad): una herramienta democrática del saber.

No obstante sólo me he basado en Wikipedia cuando la escasez de fuentes serias, objetivas y no tendenciosas en castellano, francés e inglés era considerable como en el caso de Gunter Weigand o de Falun gong.

Por último en este prólogo, decir que la bibliografía, en lugar de incluirse en cada capítulo se proporciona al final del libro una bibliografía básica imprescindible y una webgrafía mínima(lista de direcciones web útiles en relación con el tema que nos ocupa).Evidentemente, sería iluso y pueril pensar que esto es todo lo que hay cuando no es más que la punta del iceberg, es por ello que recomendamos al lector/a interesado que investigue ,profundice y amplíe por su cuenta.

1-.LOS HECHOS I/:LA POLÍTICA Y LOS POLITICOS:

"Lo único que necesita el mal para triunfar es que los hombres buenos no hagan nada".

Edmund Burke (n. Dublín; 12 de enero de 1729 - m. Beaconsfield; 9 de julio de 1797) fue un escritor y pensador político irlandés conservador.

¿qué ocurre cuando los encargados de gobernar: impartir justicia, redistribuir la riqueza,...,etc., están como "verdaderas cabras"?

de eso trata un interesante libro de Vivian Green que se llama precisamente : "la locura en el poder", el único fallo que se le puede achacar al libro por lo demás perfectamente documentado, es que se centra más en gobiernos pretéritos que en actuales. Hecha esa salvedad es un libro muy, muy recomendable.

Los políticos están bastante desacreditados en general en las sociedades posmodernas en las que nos toca vivir: no hay más que observar el altísimo grado de abstención en todo tipo de elecciones a todos los niveles y en todos los países que se rigen por normas democráticas(al menos sobre el papel)abstención que deslegitima ya de entrada en gran medida a los políticos que salen elegidos en esos comicios.

Por otra parte está el tan traido y llevado tema de la corrupción que tristemente se empieza a asumir como algo inevitable pero hay numerosas voces (y a partir de ahora me voy a ceñir a nuestro país España) como las del movimiento de Indignados 15M y varios partidos que surgieron más ó menos al calor de este movimiento social(como "Equo","Partido X" o "Podemos", o "Guanyem-Ganemos ")que asumen la herencia del 15M ,en principio heterogéneo y no adscrito a ninguna corriente ideológica sino a pedir mayor democracia real , mayor participación y tolerancia cero con la corrupción.

Surgieron inciativas como "nolesvotes" y un mapa de la corrupción en España: un corruptódromo en el que desgraciadamente había miembros de casi todos los partidos del espectro político actualhttp://wiki.nolesvotes.org/wiki/Corrupt%C3%B3dro mo

Creo que fue el grupo musical de techno "New order" que titularon un disco suyo "Power, corruption and lies", es sintomático que haya llegado hasta a la cultura popular musical, la música pop, todo este tema de la corrupción y es que ya se dijo siempre : "ejercer el poder corrompe, someterse al poder degrada", no es siempre así, pero bueno, queda realizada la muy pertinente reflexión.

No debemos olvidar el testimonio de Stéphane Hessel,

Aunque en otros temas disiento del controvertido autor Felix Rodrigo Mora , estoy de acuerdo con él en que hace falta y es muy necesaria una auténtica revolución Democrática, Axiológica y Civilizadora.

*INTERIOR Y POLICÍA /:"LA TENTACIÓN TOTALITARIA":

Al fin y al cabo:¿ para qué existe el derecho? Para protegernos de un estado policial y totalitario

Para los del Proyecto Venus, que participaron en los famosos documentales "Zeitgeist" vivimos en una sociedad "fascista".

La tecnología de hoy brinda unas posibilidades asombrosas de control y espionaje de l@s ciudadan@s que incluso pueden dejar pequeñas las distopías de autores como Orwell o Bradbury : no hay más que ver el caso wikileaks y su principal víctima el soldado Bradley Manning, el caso Snowden , la actitud y reacciones del gobierno de Dilma Rousseff en Brasil, ante el espionaje masivo de EEUU, La reacción de Merkel , la mandataria alemana al saberse espiada por la NSA.

Hay una petición abierta aún en change.org sobre esto:

http://www.change.org/es/peticiones/en-defensa-de-la-democracia-en-la-era-digital

A lo largo de los últimos meses, hemos descubierto el verdadero alcance de la vigilancia masiva a la cual todos los ciudadanos estamos expuestos. **Con tan solo unos clics en un ordenador, los Estados pueden espiar nuestros móviles y correos electrónicos, acceder a nuestras redes sociales y revisar las búsquedas que realizamos en Internet.** Tienen acceso a nuestras convicciones y actividades políticas y pueden, en colaboración con las grandes empresas de Internet, recoger y almacenar nuestros datos y predecir nuestro consumo y nuestro comportamiento.

El pilar de la democracia es el respeto a la integridad del individuo. Pero la integridad humana va más allá del cuerpo físico. En sus pensamientos y en sus entornos personales y de comunicación, todos los seres humanos tenemos el derecho a una intimidad libre y sin molestias.

Este derecho esencial ha quedado reducido a la nada por el abuso del desarrollo tecnológico por parte de Estados y de empresas para la vigilancia masiva a los ciudadanos.

Una persona bajo vigilancia no goza de libertad; **una sociedad bajo vigilancia permanente no es una democracia.** Nuestros derechos democráticos deben seguir vigentes tanto en el espacio virtual como en el real:

- La vigilancia viola la esfera privada de los ciudadanos y compromete su libertad de pensar y de opinar.

- La vigilancia masiva trata a cada ciudadano como sospechoso, comprometiendo un logro histórico: la presunción de inocencia.

- La vigilancia hace transparente al individuo, mientras que el Estado y las corporaciones operan en secreto. Como estamos viendo, el poder excede sistemáticamente sus límites.

- La vigilancia es robo. Los datos conseguidos no son propiedad pública: nos pertenecen a nosotros. Si son utilizados para predecir nuestro comportamiento, entonces nos roban otra cosa: el libre albedrío, indispensable para la libertad en democracia.

EXIGIMOS tener el derecho de co-decidir cuáles serán los datos personales que pueden ser recolectados, almacenados y compilados, y por quién. Exigimos estar informados acerca de dónde permanecerán almacenados nuestros datos y de qué manera serán utilizados. Y exigimos que esos datos sean borrados cuando sean recogidos y almacenados de forma ilegal.

HACEMOS UN LLAMAMIENTO A TODOS LOS ESTADOS Y EMPRESAS a respetar y reconocer estos derechos.

HACEMOS UN LLAMAMIENTO A TODOS LOS CIUDADANOS a defender estos derechos.

PEDIMOS A LA ONU que reconozca la importancia central de la protección de los derechos civiles en la era digital y que cree una **Convención internacional de los Derechos Digitales**.

PEDIMOS A LOS GOBIERNOS que acepten y respeten tal convención

En su libro "Political Ponerology"(por cierto es buena lástima que no esté traducido al español),el psiquiatra polaco **Andrzej Łobaczewski** (1921–2007su trabajo nos ilustra sobre un sistema de gobierno que él denomina Pathocracia en el cual individuos con trastornos de personalidad , especialmente psicopatías ocupan posiciones de poder e influencia , lo cual lleva aparejado como resultado un sistema casi o totalmente totalitario caracterizado por un gobierno que lucha contra su propio pueblo(, la verdad es que muchas personas que se consideran anarquistas piensan esto último de casi todos los estados(el mismo Chomsky dice "no juzguéis a EEUU por sus palabras sino por sus hechos" , o en su libro : "cómo nos venden la moto")).

La prueba real en la práctica que confirma la teoría de este gran y agudo psiquiatra polaco **Łobaczewski, es lo que pasó en Bélgica con el conocido como "Affaire Dutroux",en el que se destapó una bárbara red de pederastia en la que se proporcionaban víctimas infantiles para oscuros objetivos a quien pagase dinero por ello y que sólo pudo tener lugar con la connivencia de fuerzas policiales, miembros de la administración de justicia de Bélgica y miembros del propio gobierno: la opinión pública de ese país se llevó las manos a la cabeza y los reyes hicieron una intensa campaña institucional para que el puebo belga volviese a confiar en las instituciones belgas.(este tema se puede consultar en hemerotecas e incluso en internet).**

El forense Vicente Garrido ha escrito un muy interesante libro sobre los psicópatas y Antonio Damasio el célebre

35

neurólogo escribe en su archiconocido libro "El error de Descartes", que la sociedad occidental se está convirtiendo en un contraejemplo de lo que no debe ser un buen gobierno como ocurrió con la URRS con Stalin, el régimen de Pol Pot y la China de los campos de Reeducación por el trabajo.

¿qué ocurre pues cuando algún miembro de los CFSE está" mal de la cabeza", pues es curioso, porque si deciden dichos miembros de los CFSE dejar el cuerpo, les dan una pensión incluso superior a lo que cobraban cuando estaban en ejercicio véase el caso del exguardia civil Enrique Dorado Villalobos, que recibe del estado una pensión cuya cuantía comenzó en casi 350000 de las antiguas pesetas por el contrario si desean continuar en el cuerpo aún a pesar de haber sido diagnosticados de enfermedad mental considerada como grave, como es la Esquizofrenia Paranoide los absuelven y ordenan su reingreso en el cuerpo, como ha hecho el Tribunal Supremo: http://www.diariodenavarra.es/edicionimpresa/indice.asp?seccion=nacional&dia=20011029&&

¿qué ocurre cuando existe corrupción policial? Recordemos el célebre caso de Ginés Jimenez el denominado "sheriff de Coslada". O al célebre "chorizo" Luis Roldán que aún no ha devuelto lo que robó a pesar de que ya goza de libertad en su condena por los delitos realizados cuando era director de la guardia civil.: http://es.wikipedia.org/wiki/Luis_Rold%C3%A1n

Existe un tema respecto de las fuerzas policiales, el espionaje, la seguridad y la vigilancia que siempre me ha parecido importante y es el siguiente : ¿ quién controla a los controladores?

Otro tema verdaderamente preocupante es el de la brutalidad policial en las actuaciones policiales , como por ejemplo reprimir las manifestaciones pacíficas con violencia desmesurada como en el caso de Esther Quintana una mujer a la que los mossos d´esquadra reventaron un ojo con pelotas de goma.

2-LOS HECHOS (II): DEFENSA, DESTRUCTIVIDAD, GUERRA Y VIOLENCIA:¿"HOMO HOMINI LUPUS?":

Por paradojas de la comunicación actualmente se habla de Ministerios de Defensa (en lugar de los antiguos ministerios de Guerra) EUFEMISMO QUE SIRVE para maquillar lo que no es más que guerra encubierta y en muchos casos con ánimos y propósitos expansivos y no estrictamente defensivos.

Sin querer pecar de pesado pues ha esto ya he aludido en el prólogo, no está de más recordar nuevamente que , a lo largo de los últimos 100 años hemos(La Humanidad) sufrido dos guerras mundiales de inusitadas proporciones ,a la segunda de las cuales puso fin el armamento más destructor que el mundo ha conocido: las armas nucleares y un sinfín de conflictos a escala más reducida desde 1946 en adelante hasta la actualidad, a menor escala pero verdaderamente mortíferos, como los genocidios en la exyugoslavia o la matanza entre utus y tutsis en Ruanda hace 20 años.

Ya Alfred Nobel, se dio cuenta del tremendo potencial para usos bélicos y no pacíficos, especialmente (pero no sólo) de la dinamita y movido tal vez por el sentimiento de culpa, o cuando menos, por un elevado grado de filantropía dedicó la mayor parte de la inmensa fortuna que amasó a la academia Nobel para que se encargase de premiar cada año a aquellas personas que hubiesen realizado contribuciones muy relevantes en Química, Física, Literatura y Medicina, también en el ámbito de la Paz(lo que a mi modo de ver le honra y le hará gozar de fama imperecedera).

Después de la 2ª Guerra Mundial, en plena Guerra Fría entre los USA y el bloque Occidental y De otro lado La URRS y el bloque del Este, sería un premio nobel, Bertrand Russell quien firmaría junto a Einstein un manifiesto célebre para poner fin a la proliferación nuclear y buscar vías pacíficas de solución a los conflictos internacionales, los

firmantes de dicho manifiesto fueron:

Max Born

Percy W. Bridgman

Albert Einstein

Leopold Infeld

Jean Frédéric Joliot-Curie

Herman J. Muller

Linus Pauling

Cecil F. Powell

Józef Rotblat

Bertrand Russell

Hideki Yukawa

Ya en la actualidad, acabamos de ver una larga ofensiva de Israel sobre Gaza(verano de 2014),y una ya larga guerra civil en Siria con cientos de miles de muertos y según la ONU, tres millones de desplazados, asimismo, en Ucrania también existe un conflicto cuya

escala aumenta día a día, por no hablar de la nueva cruzada yihadista en Irak,…,etc.

Tan sólo destinando un 10% de lo que se destina como presupuesto de defensa en Occidente sería posible realizar los Objetivos del Milenio que procedo a enumerar a continuación:

*Objetivos del Milenio Vs. Gastos en Armamento: ya en la actualidad,

Los Objetivos de Desarrollo del Milenio fijados por 189 países de Las Naciones Unidas (ODM), son ocho propósitos de desarrollo humano fijados en el año 2000, que los 189 países miembros de las Naciones Unidas acordaron conseguir para el año 2015. Estos objetivos tratan problemas de la vida cotidiana que se consideran graves y/o radicales.

Los ocho objetivos son éstos:

Objetivo 1: Erradicar la pobreza extrema y el hambre

1.1 Proporción de la población con ingresos inferiores a 1 dólar por día según la paridad del poder adquisitivo (PPA).

1.2 Coeficiente de la brecha de pobreza

1.3 Proporción del consumo nacional que corresponde a la quinta parte más pobre de la población

1.4 Tasa de crecimiento del producto interno bruto por persona empleada

1.5 Tasa de población ocupada

1.6 Proporción de la población ocupada con ingresos inferiores a 1 dólar por día según la paridad del poder adquisitivo

1.7 Proporción de la población ocupada total que trabaja por cuenta propia o en un negocio familiar

1.8 Niños menores de 5 años con peso inferior al normal

1.9 Proporción de la población que no alcanza el nivel mínimo de consumo de energía alimentaria

Objetivo 2: Lograr la enseñanza primaria universal

2.1 Tasa neta de matriculación en la enseñanza primaria

2.2 Proporción de alumnos que comienzan el primer grado y llegan al último grado de la enseñanza primaria

2.3 Tasa de alfabetización de las personas de entre 15 y 24 años, mujeres y hombres

Objetivo 3: Promover la igualdad entre los géneros y la autonomía de la mujer

3.1 Proporción de niñas y niños en la enseñanza primaria, secundaria y superior

3.2 Proporción de mujeres con empleos remunerados en el sector no agrícola

3.3 Proporción de escaños ocupados por mujeres en los parlamentos nacionales

Objetivo 4: Reducir la mortalidad infantil

4.1 Tasa de mortalidad de niños menores de 5 años

4.2 Tasa de mortalidad infantil

4.3 Proporción de niños de 1 año inmunizados contra el sarampión

Objetivo 5: Mejorar la salud materna

5.1 Tasa de mortalidad materna

5.2 Proporción de partos con asistencia de personal sanitario especializado

5.3 Tasa de uso de anticonceptivos

5.4 Tasa de natalidad entre las adolescentes

5.5 Cobertura de atención prenatal (al menos una consulta y al menos cuatro consultas)

5.6 Necesidades insatisfechas en materia de planificación familiar

Objetivo 6: Combatir el VIH/SIDA, el paludismo y otras enfermedades

6.1 Prevalencia del VIH en las personas de entre 15 y 24 años

6.2 Uso de preservativos en la última relación sexual de alto riesgo

6.3 Proporción de la población de entre 15 y 24 años que tiene conocimientos amplios y correctos sobre el VIH/SIDA

6.4 Relación entre la asistencia escolar de niños huérfanos y la de niños no huérfanos de entre 10 y 14 años

6.5 Proporción de la población portadora del VIH con infección avanzada que tiene acceso a medicamentos antirretrovirales

6.6 Incidencia y tasa de mortalidad asociadas a la malaria

6.7 Proporción de niños menores de 5 años que duermen protegidos por mosquiteros impregnados de insecticida y proporción de niños menores de 5 años con fiebre que reciben tratamiento con los medicamentos contra la malaria adecuados

6.8 Incidencia y tasa de mortalidad asociadas a la tuberculosis

6.9 Proporción de casos de tuberculosis detectados y curados con el tratamiento breve bajo observación directa

Objetivo 7: Garantizar el sustento del medio ambiente

7.1 Proporción de la superficie de tierras cubierta por bosques

7.2 Emisiones de dióxido de carbono (totales, per cápita y por cada dólar del producto interno bruto (PPA) y consumo de sustancias que agotan la capa de ozono

7.3 Proporción de poblaciones de peces que están dentro de unos límites biológicos seguros

7.4 Proporción del total de recursos hídricos utilizada

7.5 Proporción de zonas terrestres y marinas protegidas

7.6 Proporción de especies en peligro de extinción

7.7 Proporción de la población con acceso a mejores fuentes de agua potable.

7.8 Proporción de la población con acceso a mejores servicios de saneamiento.

7.9 Proporción de la población urbana que vive en barrios marginales

Objetivo 8: Fomentar una asociación mundial para el desarrollo

8.1 AOD (Asistencia oficial para el desarrollo) neta, en total y para los países menos adelantados, como porcentaje del ingreso nacional bruto de los países donantes del Comité de Asistencia para el Desarrollo de la Organización de Cooperación y Desarrollo Económicos (CAD/OCDE)

8.2 Proporción del total de AOD bilateral y por sectores que los donantes del CAD/OCDE destinan a servicios sociales básicos (enseñanza básica, atención primaria de la salud, nutrición, agua potable y saneamiento)

8.3 Proporción de la AOD bilateral de los donantes del CAD/OCDE que no está condicionada

8.4 AOD recibida por los países en desarrollo sin litoral en proporción a su ingreso nacional bruto

8.5 AOD recibida por los pequeños Estados insulares en desarrollo en proporción a su ingreso nacional bruto

8.6 Proporción del total de importaciones de los países desarrollados (por su valor y excepto armamentos) procedentes de países en desarrollo y países menos adelantados, admitidas sin pagar derechos

8.7 Aranceles medios aplicados por los países desarrollados a los productos agrícolas y textiles y las prendas de vestir procedentes de países en desarrollo

8.8 Estimación de la ayuda agrícola de los países de la OCDE en porcentaje de su producto interno bruto

8.9 Proporción de AOD destinada a fomentar la capacidad comercial

8.10 Número total de países que han alcanzado el punto de decisión y número total de países que han alcanzado el punto de culminación de la Iniciativa en favor de los países pobres muy endeudados (acumulativo)

8.11 Alivio de la deuda comprometido conforme a la Iniciativa en favor de los países pobres muy endeudados y la Iniciativa multilateral de alivio de la deuda

8.12 Servicio de la deuda como porcentaje de las exportaciones de bienes y servicios

8.13 Proporción de la población con acceso sostenible a medicamentos esenciales a precios accesibles

8.14 Líneas de teléfono por cada 100 habitantes

8.15 Abonados a teléfonos celulares por cada 100 habitantes

8.16 Usuarios de Internet por cada 100 habitantes

OBJETIVO 1:
ERRADICAR LA POBREZA EXTREMA Y EL HAMBRE

Meta 1.A:
Reducir a la mitad, entre 1990 y 2015, la proporción de personas con ingresos inferiores a 1,25 dólares al día

Indicadores

- El objetivo de reducir a la mitad las tasas de pobreza extrema se alcanzó cinco años antes de la fecha límite fijada para 2015.

- La tasa mundial de pobreza de personas que viven con menos de 1,25 dólares al día descendió en 2010 a menos de la mitad de la registrada en 1990. Si bien en 2010, 700 millones de personas habían dejado de vivir en condiciones de extrema pobreza en comparación con 1990, 1.200 millones de personas en todo el mundo se encuentran todavía en esa situación.

Meta1.B:
Alcanzar el empleo pleno y productivo y un trabajo decente para todos, incluidos las mujeres y los jóvenes

Indicadores

- En 2011, 384 millones de trabajadores en el mundo vivían por debajo del umbral de pobreza con

1,25 dólares al día, lo que supone una reducción de 294 millones desde 2001.

- Persiste la desigualdad de género en la tasa de empleo, que en 2012 alcanzaba una diferencia de 24,8 puntos porcentuales entre hombres y mujeres.

Meta 1.C:
Reducir a la mitad, entre 1990 y 2015, la proporción de personas que padecen hambre

Indicadores

- El objetivo de erradicar el hambre para 2015 es alcanzable

- Se calcula que en todo el mundo hay 842 millones de personas desnutridas

- Todavía más de 99 millones de niños menores de cinco años están desnutridos y tienen un peso inferior al normal

OBJETIVO 2:
LOGRAR LA ENSEÑANZA PRIMARIA UNIVERSAL

Meta 2.A:
Asegurar que, en 2015, los niños y niñas de todo el mundo puedan terminar un ciclo completo de enseñanza primaria

Indicadores

- Las esperanzas son cada vez más débiles de que en 2015 se logre la educación universal, a pesar de que muchos países pobres han hecho tremendos avances

- La gran mayoría de los niños que no finalizan la escuela están en África subsahariana y el Sur de Asia

- Las desigualdades obstaculizan el avance hacia la educación universal

OBJETIVO 3:
PROMOVER LA IGUALDAD ENTRE LOS SEXOS Y EL EMPODERAMIENTO DE LA MUJER

Meta 3.A:
Eliminar las desigualdades entre los géneros en la enseñanza primaria y secundaria, preferiblemente para el año 2005, y en todos los niveles de la enseñanza antes de finales de 2015

Indicadores

- Para las adolescentes de algunas regiones, hacer realidad el derecho a la educación sigue siendo una meta difícil de alcanzar

- La pobreza es un importante obstáculo para la educación, especialmente entre las niñas de mayor edad

- En todas las regiones en vías de desarrollo, salvo en los países de la CEI, hay más hombres que mujeres en empleos remunerados

- A las mujeres se les suele relegar a las formas de empleo más vulnerables

- Gran cantidad de mujeres trabajan en empleos informales, con la consiguiente falta de prestaciones y seguridad laboral

- Los puestos en los niveles más altos siguen obteniéndolos los hombres, la diferencia es abrumadora

- Las mujeres están accediendo lentamente al poder político, pero por lo general gracias a cuotas y otras medidas especiales

OBJETIVO 4:
REDUCIR LA MORTALIDAD DE LOS NIÑOS MENORES DE 5 AÑOS

Meta 4.A:
Reducir en dos terceras partes, entre 1990 y 2015, la mortalidad de niños menores de cinco años

Indicadores

- La mortalidad infantil está disminuyendo, pero no lo suficientemente rápido como para alcanzar la meta

- La reactivación de la lucha contra la neumonía y la diarrea, junto con un refuerzo de la nutrición, podría salvar a millones de niños

- El reciente éxito en el control del sarampión podría ser efímero si no se cubren las interrupciones en el suministro de fondos

OBJETIVO 5:
MEJORAR LA SALUD MATERNA

Meta 5.A:
Reducir un 75% la tasa de mortalidad materna entre 1990 y 2015

Indicadores

- Muchas muertes maternas podrían evitarse

- El alumbramiento es especialmente arriesgado en el sur de Asia y en África subsahariana, donde la mayoría de las mujeres paren sin atención sanitaria apropiada

- La brecha entre las áreas rurales y urbanas en cuanto a atención adecuada durante el parto se ha reducido

Meta 5.B:
Lograr, para 2015, el acceso universal a la salud reproductiva

Indicadores

- Más mujeres están recibiendo cuidado prenatal

- Las desigualdades en la atención durante el embarazo son tremendas

- Sólo una de cada tres mujeres en áreas rurales de regiones en vías de desarrollo recibe la atención recomendada durante el embarazo

- El progreso para reducir la cantidad de embarazos de adolescentes se ha estancado, lo cual deja a más madres jóvenes en situación de riesgo

- La pobreza y la falta de educación perpetúan las altas tasas de alumbramientos entre adolescentes

- El progreso en la ampliación del uso de métodos anticonceptivos por parte de las mujeres se ha ralentizado

- El uso de métodos anticonceptivos es menor entre las mujeres más pobres y las que no tienen educación

- La escasez de fondos para la planificación familiar es una enorme falla en el cumplimiento del compromiso de mejorar la salud reproductiva de las mujeres

OBJETIVO 6:
COMBATIR EL VIH/SIDA, LA MALARIA Y OTRAS ENFERMEDADES

Meta 6.A:
Haber detenido y comenzado a reducir la propagación del VIH/SIDA en 2015

Indicadores

- La propagación del VIH parece haberse estabilizado en la mayoría de las regiones, y más personas sobreviven más tiempo

- Mucha gente joven sigue sin saber cómo protegerse contra el VIH

- Empoderar a las mujeres a través de la educación sobre el SIDA sí es posible, tal como varios países lo han demostrado

- En África subsahariana, el conocimiento sobre VIH es mayor en los sectores más prósperos y entre quienes viven en áreas urbanas

- Disparidades en uso de preservativo por género y por ingresos del núcleo familiar

- El uso de preservativo durante las relaciones sexuales de alto riesgo está siendo cada vez más aceptado en algunos países, siendo uno de los pilares de la prevención eficaz del VIH

- Los vínculos entre violencia de género e infección por VIH son cada vez más evidentes

- Los niños huérfanos por SIDA sufren más que la pérdida de sus padres

Meta 6.B:
Lograr, para 2010, el acceso universal al tratamiento del VIH/SIDA de todas las personas que lo necesiten

Indicadores

- La tasa de nuevas infecciones por VIH sigue superando a la expansión del tratamiento

- La expansión de los tratamientos para mujeres seropositivas también protege a los recién nacidos

Meta 6.C:

Haber detenido y comenzado a reducir, en 2015, la incidencia de la malaria y otras enfermedades graves

Indicadores

- Aumenta la producción de redes para mosquitos tratadas con insecticida

- En todo África, el uso de mosquiteras tratadas con insecticida protege a la población contra la malaria

- La pobreza sigue limitando el uso de mosquiteras
- La adquisición de medicamentos antipalúdicos más efectivos sigue aumentando rápidamente en todo el mundo

- Los niños de los hogares más pobres tienen menor probabilidad de recibir tratamiento para malaria

- Los fondos externos están ayudando a reducir la incidencia de malaria y las muertes, pero se necesita apoyo adicional

- Continúan los avances en tuberculosis

- La prevalencia de tuberculosis está disminuyendo en la mayoría de las regiones

- La tuberculosis sigue siendo la segunda causa de muertes en el mundo, después del VIH

OBJETIVO 7:
GARANTIZAR LA SOSTENIBILIDAD DEL MEDIO AMBIENTE

Meta 7.A:
Incorporar los principios del desarrollo sostenible en las políticas y los programas nacionales y reducir la pérdida de recursos del medio ambiente

Indicadores

- La tasa de deforestación muestra signos de remisión, pero sigue siendo alarmantemente alta

- Se necesita urgentemente dar una respuesta decisiva al problema del cambio climático

- El éxito sin precedentes del Protocolo de Montreal demuestra que una acción concluyente sobre cambio climático está a nuestro alcance

Meta 7.B:
Haber reducido y haber ralentizado considerablemente la pérdida de diversidad biológica en 2010

Indicadores

- El mundo no ha alcanzado la meta de 2010 de conservación de la biodiversidad, con posibles consecuencias muy graves

- Los hábitats de las especies en peligro no están siendo adecuadamente protegidos

- La cantidad de especies en peligro de extinción sigue creciendo a diario, especialmente en países en vías de desarrollo

- La sobreexplotación de la pesca global se ha estabilizado, pero quedan enormes desafíos para asegurar su sostenibilidad

Meta 7.C:
Reducir a la mitad, para 2015, la proporción de personas sin acceso sostenible al agua potable y a servicios básicos de saneamiento

Indicadores

- El mundo está en camino de cumplir con la meta sobre agua potable, aunque en algunas regiones queda mucho por hacer

- Se necesitan esfuerzos acelerados y específicos para llevar agua potable a todos los hogares rurales
- El suministro de agua potable sigue siendo un desafío en muchas partes del mundo

- Dado que la mitad de la población de las regiones en vías de desarrollo carece de servicios sanitarios, la meta de 2015 parece estar fuera de alcance

- Las diferencias en lo que respecta a cobertura de instalaciones sanitarias entre zonas urbanas y rurales siguen siendo abismales

- Las mejoras en los servicios sanitarios no están llegando a los más pobres

Meta 7.D:
Haber mejorado considerablemente, en 2020, la vida de al menos 100 millones de habitantes de barrios marginales

Indicadores

- Las mejoras de barrios marginales, si bien han sido considerables, son insuficientes para compensar el aumento de personas pobres en zonas urbanas

- Se necesita una meta revisada sobre la mejora de barrios marginales para fomentar las iniciativas a nivel país

OBJETIVO 8:
FOMENTAR UNA ALIANZA MUNDIAL PARA EL DESARROLLO

Meta 8.A:
Atender las necesidades especiales de los países menos desarrollados, los países sin litoral y los pequeños estados insulares en vías de desarrollo

Indicadores

- Sólo cinco países donantes han alcanzado la meta de la ONU en cuanto a ayuda oficial

Meta 8.B:

Continuar desarrollando un sistema comercial y financiero abierto, basado en reglas establecidas, predecible y no discriminatorio

Indicadores

- Los países en vías de desarrollo logran un mayor acceso a los mercados de los países desarrollados

- Los países menos desarrollados se benefi cian más por las reducciones de tarifas, especialmente en sus productos agrícolas

Meta 8.C:

Lidiar en forma integral con la deuda de los países en vías de desarrollo

Indicadores

- La carga de la deuda disminuyó para los países en vías de desarrollo y continúa muy por debajo de sus niveles históricos

Meta 8.D:

En cooperación con el sector privado, hacer más accesible los beneficios de las nuevas tecnologías, especialmente las de información y comunicaciones

Indicadores

- Crece la demanda de tecnologías de telecomunicación

- Internet sigue siendo inaccesible para la mayoría de los habitantes del planeta

- Hay una gran brecha entre quienes cuentan con conexión de alta velocidad a Internet, la mayoría en países desarrollados, y los usuarios que utilizan conexión telefónica

Supervisar la entrega de la ayuda,

- El Marco de aplicación integrada ⊞ fue desarrollado para registrar y supervisar financieramente, así como los compromisos políticos hechos en apoyo de los Objetivos de Desarrollo del Milenio por los Estados miembros de la ONU y otros actores internacionales
  - Fuente: http://www.un.org/es/millenniumgoals/

*CONCLUSIÓN:

Pues bien con destinar tan sólo una pequeña parte de lo que cada estado miembro utiliza como presupuesto para gastos en armamento cada año ya se habrían conseguido los objetivos del milenio hace años : ¿por qué no se hace?...

Afirmaba el psicólogo Abraham Maslow en su célebre libro :"La personalidad creadora", lo siguiente:
"poner armas más poderosas en manos de gente estúpida o mala engendra una estupidez y maldad mucho más poderosas."
Viene al caso respecto de armar a milicias disidentes indiscriminadamente en muchos países islámicos o a

dictadores y autócratas que nunca han respetado los Derechos Humanos ni las convenciones de la Onu.

3-LOS HECHOS(III) : SOCIEDAD ENFERMA EDUCACIÓN Y ESCUELA:

Sin dejar de lado que en nuestro país el informe Pisa muestra como nuestros alumnos de secundaria no aprenden bien y están a la cola de Europa, sin dejar de lado que haría falta un gran pacto por la educación, y no cada 4 años una ley de educación sea por Juan , sea por Pedro, sin dejar de lado que hay que conjugar la "cultura del esfuerzo" también con "educación para la ciudadanía",...

Me voy a ceñir a dos voces femeninas representativas de la España actual, la una en el saber psicológico (Mª Jesús Álava Reyes) la otra en el saber ético y filosófico (Adela Cortina):

Nos ilustra sobre el particular Dª Mª Jesús Álava Reyes en su famoso libro: "La inutilidad del sufrimiento":

"La formación tradicional cada vez nos prepara menos para la vida y la correlación que alcanza con el desempeño en la profesión no supera el 25 %(en muchos casos es inferior al 4%)".

"...En la actualidad los distintos sistemas educativos de las llamadas sociedades en desarrollo, lejos de preparar a las personas para afrontar su vida, las entrenan o entretienen únicamente en la adquisición de conocimientos, conocimientos muchas veces obsoletos, manipulados y hasta tergiversados que poco ayudan al desarrollo de personas emocionalmente maduras, auténticamente libres y personalmente equilibradas.

¿Qué está pasando para que hoy , a pesar de las "mejores" condiciones de vida nuestros adolescentes y jóvenes no se sientan más felices?".

¿Qué comenta Dª Adela Cortina sobre el tema?:(De su libro"La ética de la sociedad civil"):

"...Modestamente tengo que decir desde mi experiencia que lo que más he utilizado para vivir de la educación recibida han sido las humanidades y no sólo porque me han ayudado a conocer los entresijos de una cultura desde la que he podido ir aprendiendo/comprendiendo parcialmente otras ,sino porque saber hablar y escribir con cierta corrección y saber expresar las propias ideas :ES UNA DE LAS FORMAS ESENCIALES DE POSEERSE A SÍ MISMO.Y SI ES VERDAD QUE LA SALUD PUEDE CARACTERIZARSE,COMO SE VIENE DICIENDO EN LOS ÚLTIMOS TIEMPOS,COMO CAPACIDAD PARA APROPIARSE DEL PROPIO CUERPO Y DIRIGIRSE A SÍ MISMO EN VEZ DE NECESITAR CONSTANTEMENTE QUE OTROS ME LLEVEN Y TRAIGAN,ENSEÑAR A LOS NIÑOS A SER DUEÑOS DE SÍ MISMOS ,A EXPRESAR SU PENSAMIENTO VERBALMENTE Y POR ESCRITO,ES UNA CUESTIÓN DE SALUD.POR ESO DEBERÍAMOS PLANTEARNOS COMO UN AUTÉNTICO PROBLEMA SOCIAL LA PÉRDIDA DE CULTURA HUMANISTA QUE ESTÁN EXPERIMENTANDO LAS NUEVAS GENERACIONES ,INCLUSO COMO UN PROBLEMA SANITARIO."

(Las mayúsculas son mías no de Adela Cortina el texto es íntegro de esta autora)

En su libro "el Psicópata" , Vicente Garrido Genovés, a partir de la página 84(en Ed.Algar)cómo la sociedad enferma y demente engendra psicópatas por medio de una educación ética no consistente(y por otros factores como el "currículo oculto", que D. Vicente Garrido no menciona, pero que se pueden sintetizar en esta frase que sí que aparece en su libro:

"Somos algo sólo en la medida en que abusemos y utilicemos a los demás".

Es triste que muchas niñas y niños asuman ésto como cierto(y es que en no pocas ocasiones lo es, es terrible constatarlo y lamentable)).

Dice D. Vicente Garrido en su libro:

"… ¿qué sucede si no existe esa consistencia en el aprendizaje de lo que está bien y está mal? O peor aún: ¿ qué ocurre si somos alabados por ser crueles e insensibles? En el primer caso nuestro "yo" moral será muy débil, nuestra capacidad para reconocernos como autores morales y responsables de lo que hagamos influirá muy poco en corregir nuestro comportamiento ya que nuestro sentido de la integridad se habrá infradesarrollado . Y en el segundo caso el problema se agravará aún más porque nos solazaremos con la manipulación, el engaño y el abuso de los demás, nos habremos literalmente embrutecido: actuaremos como brutos en vez de seres humanos porque se nos ha enseñado que sólo somos algo en la medida en que abusemos y utilicemos a los demás (pág.88 El psicópata, libro de d. Vicente Garrido en Ed. Algar.).

Ciertamente, no faltan investigaciones que aseguren que en la biografía de asesinos y psicópatas abundan las experiencias de malos tratos , de una infancia abortada en su capacidad de crecimiento humano y moral. La cuestión es que muchas otras personas no parecen haber experimentado esas vejaciones y, sin embargo, han desarrollado indudables rasgos psicopáticos.

"Si existen prácticas de educación de la infancia que generan psicopatía.

Una sociedad que fomentara las técnicas educativas que generaran sujetos psicopáticos podría ser llamada en justicia una sociedad psicopática".

(José Sanchez un sociólogo hispano que trabaja en la universidad de New Jersey USA:" social crisis and Psychopathy" en W H. Reid y cols.: "unmasking the psychopath").

"Son tiempos de crisis que producen 2 tipos de consecuencias : por una parte ya no están claros cuáles han de ser los códigos éticos que han de ser objeto de aprendizaje por la nueva generación porque se desconfía de los mensajes tradicionales de las instituciones.

Por otra parte, aumenta el rango de conductas que se desvían de las normas (esto también está constatado en el libro de Edith Aristizábal Diazgranados sobre Psicología forense:

"estudio de la mente criminal", en el que se pone sobre el tapete el alto grado de anomia de los miembros de las actuales sociedades postindustriales, el paréntesis es de mi cosecha , no del libro de d. Vicente Garrido ,perdón por el inciso, pero se hace necesario.) y que pueden recibir la aprobación de la gente, aunque sólo sea por la cobertura tan extensa que reciben de los medios de comunicación.

La conclusión de esto es que la sociedad empieza a albergar cada vez más jóvenes que se convierten en hombres sin un código claro de valores y que asumen una mirada cínica desconfiada ,de la sociedad, donde la oportunidad para el éxito material es quizá lo único seguro y tangible.

No es ajeno al desmoronamiento de este código, el rápido aceleramiento del cambio social y cultural que ha separado a generaciones que antes vivían juntas y ha fomentado de modo extraordinario el relativismo de los valores. El mensaje universal de la sociedad moderna es estar preparado para el cambio. Si ya no hay valores sólidos y uno tiene que estar dispuesto a cambiar constantemente, el individuo y su capacidad para lograr las metas sociales (del mercado, del consumo) se convierte en el punto de referencia. De este modo el individualismo(¿cómo podré ser más eficaz que los demás en adaptarme a los tiempos que corren?),se suma al cinismo social(¿en quién podemos confiar?) y al relativismo(Por qué no podrá ser esto verdad?¿ qué es en realidad lo bueno?).

Al no existir una estructura colectiva de referencia , la sociedad es percibida como una guerra de todos contra todos ,en la cual no se puede contar con las instituciones y las autoridades para la protección de los contendientes(...)

4-.LOS HECHOS (IV): MISCELÁNEA:

En este capítulo vamos a realizar algunas breves aportaciones de barbaridades que , en materia de economía, agricultura, consumo, empleo , vivienda,...hacen que nuestra sociedad sea una sociedad demente y enferma.

1-.Tal y como expresó Marcuse, un hecho que llama poderosamente la atención es que en el primer mundo se despilfarra la abundancia de bienes de consumo y servicios mientras que el tercer mundo muere de hambre y carece de las mínimas infraestructuras como las de agua potable y eso que desde que se escribió y ratificó el PIDESC: el pacto internacional de derechos económicos , sociales y culturales los mismos son ya justiciables y se le pueden exigir a todos los gobiernos de la ONU.

Norte y sur ya no están tan lejos , de hecho cada día están más cerca: en los países del primer mundo la brecha entre los que más tienen y los pobres, se ha agigantado.

En este sentido clama al cielo que en España se esté ya pasando hambre , o al menos necesidad de productos básicos y carencia de alimentos esenciales por parte de los sectores más débiles de nuestra sociedad entre ellos los niños en los que ya se ha llegado a descubrir evidencias de malnutrición y simultáneamente se estén arrojando alimentos al mar o a los vertederos, no sólo en España sino también en el extranjero .

Recuerdo una imagen vista por televisión que impresionó mi retina y profundamente mi alma: era un buque carguero en alta mar tirando los excedentes –varias toneladas-de cereal por razones de oferta y demanda y para mantener los precios:¡qué horrible despilfarro !!!.

Arnau Más, en el periódico digital ADN.es realiza un acertado análisis de este fenómeno de tirar los alimentos , análisis que no me resisto a reproducir aquí aunque sea de forma abreviada:

"CIFRAS DEL ESCÁNDALO: UN TERCIO DE LA COMIDA SE TIRA":

Occidente ha pasado de las cartillas de racionamiento (de la posguerra de la segunda guerra mundial) al despilfarro de los alimentos.

Las consecuencias de este derroche no son anecdóticas, ya que afectan de forma directa a la malnutrición en el Tercer Mundo con el aumento de los precios de los productos básicos y al Medio ambiente, con la emisión del 20% de los gases de efecto invernadero por parte del sector alimentario.

Los datos son contundentes: Estados Unidos y Europa tiran dos veces más comida de la necesaria para satisfacer las necesidades nutricionales de su población. De hecho, sólo con los 40 millones de toneladas de alimentos desechadas cada año en EEUU y en Europa - se tiran hasta 89 millones de toneladas anuales- se podría alimentar a las cerca de mil millones de personas hambrientas en el mundo.

"Se trata de una cuestión ética que durante muchos años se ha intentado tapar por parte de la industria alimenticia. La imagen de la comida arrojada en vertederos debería hacernos reflexionar a tod@s",explica a ADN el investigador y activista Tristram Stuart, autor de "Despilfarro", que culpabiliza a agricultores, a las multinacionales y también a consumidores. "Tenemos que comprar lo que comemos y comer lo que compramos. Es tan sencillo como eso.".

Las cadenas de supermercados rechazan el 30% de las frutas y verduras por simples cuestiones estéticas: "si las manzanas no tienen la forma perfecta, se tiran a la basura , aunque tengan exactamente el mismo sabor, cuenta Stuart. El despilfarro también ha llegado al mar. Según las investigaciones de la Universidad de Sussex, en las aguas europeas se desechan casi la mitad de los peces capturados.

La fecha de caducidad de los productos tiene buena parte de culpa en el derroche .Según Stuart no es peligroso comer un alimento caducado, ya que las fechas propuestas por las empresas sólo sirven para protegerse ante posibles litigios judiciales. Incluso se han convertido en una herramienta de marketing. Así, asegura que, si el alimento está en buen estado no deberíamos de tirarlo.

2-. No más casas sin gente ni más gente sin casa:

La labor de la Plataforma antideshaucios es encomiable y su lucha por la dación en pago también: ya que la(s) persona(s) se ven obligadas a quedarse sin casa , casa en la que habían puesto sus más grandes ilusiones y esperanzas y no pocos miles de euros, por lo menos que quede cubierto lo que deben, con la dación el pago de lo que les restaba de pagar de hipoteca y no que se tengan que ver sin la casa o piso y encima con deudas.

3-. El fantasma del paro:

Resulta que un número cada vez mayor de personas(unos cinco millones en España), se ven condenados a no poder cumplir con el clásico mandato bíblico" te ganarás el pan con el sudor de tu frente", puesto que lisa y llanamente apenas hay trabajo.

Simone Weil, se dio cuenta , ya en su época de lo terrible de esta problemática del paro y de los "parados"(Simone Weil llegó a participar junto a Durruti de la guerra civil española):

en su libro: "L´enracinement":

"L ´initiative et la responsabilité ,le

sentiment d´être utile et même indispensable,sont des besoins vitaux de l´âme humaine....
La privation complète à cet égard est le cas du chômeur....
Toute collectivité ,de quelque espèce qu´elle soit,qui ne fournit pas ces satisfactions à ces membres ,est tarée et doit être transformée".
para los que no sepan francés: queda en español en :
"La inciativa y la responsabilidad,el sentimiento de ser útil e incluso indispensable, son todas ellas necesidades vitales del Alma humana...
la privación completa respecto de todo esto es el caso del parado...
Toda colectividad, de cualquier tipo que sea, que no suministre o proporcione la satisfacción de tales necesidades a sus miembros, está tarada y debe ser transformada".

5-LOS ENEMIGOS EXPERTOS 0-INTRODUCCIÓN:

Algo serio debe estar ocurriendo para que distintas voces de procedencias muy heterogéneas se pongan de acuerdo en el acertado diagnóstico de nuestra sociedad como enferma, demente, psicótica y esquizofrénica: voces expertas de muy diverso signo (aunque , en general , no siempre) progresistas, así como profesionales de muy diversos ámbitos de la Cultura y el Saber:

1-. Filósofos: por ejemplo Herbert Marcuse y Simone Weil.

2-.Sociólogos: por ejemplo : Gilles Deleuze y María Mies(Ecofeminista);

3-.Educadores: p.ej.: A S . Neill.

4-.Físicos cuánticos: P.ej. : Vandana Shiva (ecofeminista);

5-.Neurólogos: por ejemplo, Antonio Damasio y

6-.Numerosos Psiquiatras: entre ellos S.Freud, W. Reich y Augusto Cury.

6-ENEMIGOS EXPERTOS 1- WILHELM REICH

Para los psicólogos clínicos W.Reich no necesita presentación pues fue el primer impulsor de lo que se conoce como psicoterapias corporales o bioenergéticas, posteriormente desarrollladas por Psiquiatras como A. Lowen. A W. Reich también debemos la famosa terna de Amor-Trabajo-Conocimiento como fuentes primarias de la vida sana del ser humano

"Reich estudió medicina en Viena Y SE INTERESÓ DESDE MUY JOVEN POR LA INFLUENCIA DE LA SEXUALIDAD EN LA SALUD. No comprendía la visión moralista de los psiquiatras que veían la sexualidad como algo negativo y perverso cuando no se limitaba a la procreación. Estudió muy a fondo las teorías de Freud, su maestro ,estableciendo cada vez una relación más estrecha entre la falta de sexualidad y la enfermedad mental. En 1922 recibió su diploma como Dr. en Medicina, y se puso a trabajar intensamente en departamentos psiquiátricos, estudiando especialmente la esquizofrenia. Ya en aquel tiempo llegó a observar que los esquizofrénicos estaban en muchos aspectos bastante más sanos que los psiquiatras. Y cualquiera que llegue a comprender la tremenda crueldad y perversidad de este mundo que hemos creado, se puede imaginar que una persona verdaderamente sana tiene que enloquecer por fuerza en un mundo así y que sólo escapan a la locura total los que ya estamos lo bastante locos como para poder soportarlo".(del libro de Jorge Reyes :"si este mundo no te gusta ....cámbialo")

En un caso muy especial descubrió que una muchacha sufrió un shock al intentar su novio abrazarla, ésta intentó oponerse al abrazo fogoso colocando su brazo por delante, y el resultado fue una parálisis de ese brazo sin que hubiera daño fisiológico ni de los huesos , ni de los músculos ni del sistema nervioso. Es decir, que una emoción, el shock, había provocado claramente un trastorno físico: de ahí vendría el concepto de coraza caracterológica que supone contracciones y rigideces en los cuerpos de las personas como consecuencia de la represión de una sana y libre expresión del élan vital(que él posteriormente denominaría energía orgónica) a través de una sexualidad sana y del orgasmo(todo ello aparece ilustrado en su libro ":La función del orgasmo" del que existe edición en castellano.) y las frustraciones acumuladas por las personas en el cotidiano vivir.

Tal y como recoge Wikipedia en español, es muy cierto que , para situar la obra de Reich es útil diferenciar tres etapas, una psicoanalítica con el énfasis en la sexualidad, otra freudomarxista que es la que nos interesa porque es en la que se pone el énfasis en la represión que la sociedad lleva a cabo sobre los individuos y que para Reich, solo será posible eliminar cuando las condiciones objetivas cambien , esto es, habría que operar sobre la realidad social de forma revolucionaria para transformar la sociedad y su pernicioso efecto sobre el bienestar individual. Reich trabajó mucho difundiendo el uso de preservativos como profilaxis para enfermedades y embarazos no deseados , asimismo criticó el fascismo, en sus libros "escucha hombrecito" y ¨La psicología de masas del fascismo" y el deseo de sumisión que nace en la etapa infantil y hace buscar un padre en el partido político como salvación de la nación o de la raza.

La última etapa la más controvertida y que le valió la cárcel, muriendo un día antes de apelar su sentencia y su diagnóstico de Esquizofrenia Delirante, es por ello que dudé si incluir a Reich entre los expertos críticos o entre las víctimas, pues al fin y al cabo , que Reich en la 3ª etapa de su vida creyese en algo en principio delirante como puede ser el orgón no debe de patologizarse pues de ese modo lo mismo deberíamos hacer con la creencia en ovnis y extraterrestres y hay al menos dos psiquiatras que han trabajado sobre esto último: 1-. Carl Gustav Jung que escribió un libro sobre los ovnis titulado "sobre cosas que se ven en el cielo" y 2-.John e Mack, psiquiatra norteamericano que introdujo el concepto de abducción por extraterrestres y , que , según los conspiranoicos no es casualidad que muriese en accidente de coche cuando iba a dar una conferencia en la que iba a revelar aspectos clave sobre estos temas tan controvertidos y que algunos incluso les puede mover a la hilaridad. Así mismo, los psiquiatras que han tratado el tema de las "Experiencias Cercanas a la Muerte"(ecm)o NDE-near death experiences también deberían ser tildados de esquizofrénicos paranoides, entre ellos Raymond Moody o la Psiquiatra suiza ya fallecida

Elisabeth Kübler –Ross, sin embargo también habría que tildar de "locos " a los ocho millones de norteamericanos que según las célebres encuestas Gallup han pasado por una de tales experiencias.

En realidad , a día de hoy existen Terapeutas reichianos en varios países, por ejemplo, en nuestro país existe la Fundación Wilhelm Reich y la Escuela de Terapia reichiana(ESTER).

Todo lo que aquí refiero no es más que una simplificación que pretende ser divulgativa de una obra de gran envergadura en la que destaco el precioso librito: "Escucha hombrecito" en el que critica con verdadero ardor al ser humano "promedio" del siglo XX quien según él ante cualquier disyuntiva siempre o casi se ha decantado por la elección peor.

7-ENEMIGOS EXPERTOS 2 : A S NEIL

Para muchos educadores y pedagogos este autor , maestro y director de un colegio no necesita presentación pues supone el principal referente de la "Pedagogía Antiautoritaria" que nos ha legado el Siglo XX y cuyo trabajo aún perdura pues la escuela libre que él creó aún existe :en el momento en que escribimos esto, Summerhill sigue abierta :

http://www.summerhillschool.co.uk/pages/index.html

A S Neil, como la gran parte de las personas de su generación estuvo verdaderamente mediatizado por una educación en extremo represiva de la sexualidad: sus posteriores lecturas de Freud y otros autores del ,en aquel momento, floreciente Psicoanálisis y su contacto con autores y personas del " Socialismo Fabiano", así como su experiencia vital y peripecias como soldado le impactaron sobremanera, sin olvidar su práctica como educador tal y como viene recogida en su Autobiografía: "Neil, Neil, orange peel".

En la autobiografía mencionada, aparece recogido un documento muy ilustrativo: sus diarios de sus comienzos como maestro lo que- sobra decirlo- es de sumo interés para cualquier persona que piense hacer de la docencia su profesión.

Respecto del tema que traemos entre manos: el de la sociedad enferma y demente, es en sus libros: "maestros problema y los problemas del maestro" y especialmente en "padres problema y los problemas de los padres " donde más claramente he encontrado yo su rico retrato y sus certeras descripciones de la sociedad demente tal y como la misma se manifestaba en la época en que Neil vivió y no sólo eso , sino también una interesante descripción de qué perspectivas de futuro caben para esta perturbada sociedad.

Antes que parafrasear y expresarme peor con mis palabras prefiero decirlo con las suyas propias:

"el Estado y la Iglesia siguen siendo los instrumentos usados por los sectores de la sociedad que, por su beneficio, tratan de impedir la total liberación del Hombre."

"Nuestro optimismo se basa en que , día a día, cambia la correlación de fuerzas entre el odio a la vida y el amor"(a la vida y a los semejantes)".

"El mundo está enfermo, neurótico, propenso al odio y la guerra. Como señala Reich(Wilhelm Reich),la peste emocional en la vida data desde la hora del nacimiento. El problema es de escala global, o sea, La Humanidad".

"El mundo está lleno de camaradería y de amor, de ahí mi firme convicción de que las nuevas generaciones que no hayan sido víctimas de las deformaciones educativas en la infancia, vivirán en paz...siempre que los enemigos actuales de la vida no destruyan el mundo antes de que éstas puedan tomar las riendas entre sus manos".

"La lucha entre ambos bandos es desigual, pues la educación, la religión, las leyes, los ejércitos y las inmundas prisiones se hallan en manos del enemigo. Mientras unos cuantos educadores trabajan para que los niños crezcan en libertad, la mayoría está siendo aleccionada por el enemigo mediante su odioso sistema de castigos, prohibiciones, militarismo y sexualidad pervertida. Como ejemplo de este último concepto cabe señalar que en algunos conventos las jóvenes aún deben bañarse vestidas para que no vean sus propios cuerpos " pág.17."Padres problema y los problemas de los padres" A. S. Neill , Editores Mexicanos Unidos.

"¿Vale la pena procurar la salvación de la humanidad?¿Da mérito acaso tomarse la molestia de escribir un libro de niños y padres?:Mi respuesta es sí. El amor hacia la vida va en aumento entre la población. Cada día se les pega menos a los niños; los castigos corporales en las escuelas han sido abolidos en muchos países...Los enemigos de la vida no son tan numerosos como 20 años atrás . Se vislumbra una vida sin neurosis, y , si por milagro no llega a desatarse la guerra nuclear triunfará la libertad de vivir, el amor y el trabajo."

"POR LO TANTO DEBEMOS SEGUIR AFANÁNDONOS Y PENSANDO QUE LA VIDA DEBE SEGUIR, PUES SI NOS DAMOS POR VENCIDOS Y NOS RESIGNAMOS A SER DESTRUIDOS POR EL ODIO TRAICIONARÍAMOS A LA NUEVA HUMANIDAD".

"No debemos perder la esperanza...hay hombres como Reich con su descubrimiento del poder de vida en "orgone" que apuntan hacia una vida positiva llena de amor, trabajo y sabiduría".

"alguien dijo que la carrera es entre el socialismo y la bomba atómica; mi parecer es que el enfrentamiento es de mayor alcance, y se resume en la lucha entre los que creen en la muerte y los que creen en la vida. Ningún hombre debe permanecer neutral. Ello significaría el fin. Debemos tomar partido.."

Págs. 17-18.Ibidem.

8-ENEMIGOS EXPERTOS 3: THOMAS SZASZ:

Thomas Szasz es , sin duda alguna, mundialmente conocido como Padre de la Antipsiquiatría junto al también Psiquiatra David Cooper y al psiquiatra británico R. D. Laing quien siempre rechazó tal etiqueta.

Hay dos libros esenciales de Szasz en los que se exponen sus revolucionarias conclusiones : "el mito de la enfermedad mental" y "la fabricación de la locura". En este último, Szasz, traza un paralelismo entre la Teocracia de siglos pretéritos y la caza de brujas por parte de la inquisición y la nueva caza de brujas de todos los que por alguna razón u otra son considerados como desviados y el reino de la Farmacracia en la que los Psiquiatras son los nuevos inquisidores , como por ejemplo los homosexuales, a día de hoy a las personas LGTB aún se las persigue en muchos países, y, aunque el DSM ya abolió hace muchos años la homosexualidad como patología tal y como aparece recogido en el libro del Psiquiatra Watzlawick :"el sentido del sinsentido"(como dice el autor parece que "de golpe", se curaron todos l@s homosexuales),no hace mucho que son legales las bodas de gays o lesbianas en nuestro país y recientemente(¡ en 2014!!), se vienen a legalizar en el Reino Unido.

El psiquiatra español, ya fallecido Lopez Ibor padre, también hace referencia a Szasz y la antipsiquiatría en cuanto al uso criminal de la psiquiatría contra disidentes políticos en su libro :"cómo se fabrica una bruja".

Szasz tiene además otro libro traducido al castellano que es también muy popular y que lleva por título "nuestro derecho a las drogas" (existe una edición en compactos de Anagrama).

Szasz , psiquiatra él mismo es un auténtico iconoclasta cuyo caballo de batalla y bestia negra es la psiquiatría oficial.

Szasz critica la medicalización de la vida diaria que voy a ilustrar con un ejemplo: es de noche, no nos dormimos y tomamos un hipnótico-sedante, después nos levantamos por la mañana y tomamos un estimulante, a continuación, entre el café y la discusión con el jefe tomamos un tranquilizante y, al final del día volvemos a tomar otro hipnótico sedante y vuelta a empezar,....,esto en un sentido, en otro es la medicalización de cada aspecto de nuestras vidas: la gente toma antidepresivos para empatizar, a los niñ@s con TDAH se les receta ritalin (metilfenidato) que paradójicamente es un estimulante,...., existe un medicamento para cada estado de ánimo egodistónico y esto según Szasz es un disparate .Si uno está ansioso , debe procurar relajarse, pausadamente, con respiraciones lentas y profundas practicando la relajación,..., etc y no tomando un tranquilizante; y si uno está apagado no debería recurrir a los estimulantes: café, te , tabaco, alcohol, o a los medicamentos correspondientes. Evidentemente esto no es más que una simplificación pero que puede ser orientativa.

9-ENEMIGOS EXPERTOS 4 SED SLT OTTO GROSS:

A este gran Psiquiatra ,discípulo de S. Freud y olvidado de la Psiquiatría y del Psicoanálisis , dudé entre incluirle entre las víctimas de la represión de la sociedad(tal y como se realizaba en aquellos tiempos: como decía el Dr. Esquerdo : la duda estaba entre la cárcel y el manicomio, puesto que su padre, célebre criminólogo pretendió incapacitarlo, consiguió que lo hospitalizaran y tengo entendido que incluso le desheredó) o de si entre los expertos críticos pues Gross fue sin duda un visionario que anticipó una visión racional y no psiquiátricamente patológica de la homosexualidad así como de una muy sana visión de la igualdad entre los sexos; y, por su relación con las drogas fue un pionero de la contracultura, los artistas bohemios y de vanguardia y por sus contactos con las vanguardias revolucionarias primero de comunistas autoritarios y, posteriormente de libertarios o anarcocomunistas , anticipó de algún modo lo que dio de sí el movimiento libertario en el siglo XX.

En la Editorial Alikornio existe una recopilación de varios escritos clave de este injustamente olvidado autor, recogidos con el sugerente título de : "más allá del diván: apuntes sobre la psicopatología de la civilización burguesa", de él dice la solapilla interior:

"Otto Gross(Tchernovtsky,Ucrania , 1877-1920) Fue asistente de Sigmund Freud y uno de los primeros investigadores del

Psicoanálisis. Doctor en Psicopatología por la universidad de Graz, después de una breve experiencia docente y siguiendo la recomendación de Freud, en 1906 se traslada a Munich para trabajar en la clínica psiquiátrica de Kreapelin. En Munich entra en contacto con los círculos de la bohemia revolucionaria, rompe con Freud a causa de la orientación crítica y política que Gross da a la técnica psicoanalítica e inicia una intensa actividad como colaborador de diversas revistas de la vanguardia cultural especialmente Die Aktion . Perseguido por su padre, un influyente personaje del mundo académico vienés, Otto Gross es detenido en Berlín y recluido en un psiquiátrico en Austria. Su amigo Fraz Pfemfert , editor de die Aktion y Franz Jung, emprenden una campaña por su liberación que consiguió un amplio respaldo. Otto Gross tuvo una considerable influencia sobre los artistas y escritores de su generación, entre ellos Franz Kafka, quien se inspiró en la detención y encierro de Otto Gross para la redacción de su célebre obra "El Proceso".

En realidad, Otto gross a lo largo de varios de sus escritos expone, y es el tema que nos ocupa, cómo es la sociedad occidental en que vivimos el germen de las patologías psiquiátricas de las personas al reprimir los impulsos expansivos sanos de los individuos. Concretamente en su estudio sobre "los efectos de la colectividad sobre el individuo", dice textualmente así:

"...Entre los descubrimientos imperecederos de Nietzsche, figura el efecto patógeno de la sociedad sobre el individuo. Gracias a él sabemos que en los individuos sanos existen tendencias expansivas que son objeto de las tendencias represivas de la colectividad."

Influido por Bachofen , sostiene Gross que primero hubo una época paradisíaca primitiva de matriarcado primordial y que posteriormente se vio destruido por el nacimiento de lo que llegaría a ser el actual patriarcado, que se basa sobre la violación y/o el sometimiento de la mujer, cree Gross que en todo individuo sano, reside el sentimiento de no violar y no ser violado.

Por último decir que el genial y célebre psiquiatra suizo Carl Gustav Jung comenta que fue influido por Gross para establecer su clásica tipología entre extrovertidos e introvertidos y que ambos se analizaron mutuamente.

10-ENEMIGOS EXPERTOS 5 SED SLT ERICH FROMM:

Fue un psicoanalista lego judeoalemán, miembro de la conocida como escuela de filosofía de Frankfurt, como Herbert Marcuse(para quien también esta sociedad es demente en el sentido de que derrocha y despilfarra sus recursos). En 1926 contrajo matrimonio con la psicoanalista Frieda Reichmann, quien fue pionera en el tratamiento no farmacológico, sino psicológico de las psicosis.

Los profundos estudios y desarrollos de Erich Fromm en torno a la filosofía humanista, el amor, la sociedad enferma y sana , el marxismo y su renovación disidente del psicoanálisis oficial le llevó hasta un acercamiento a posiciones libertarias y anarquistas al final de su vida.

Erich Fromm tiene una obra fundamental , monumental y certera que lleva el título de "Psicoanálisis de la sociedad contemporánea", contemporánea de él, claro, y de su tiempo, pues la primera edición de este gran y visionario libro es de 1955 pero sus postulados fundamentales siguen siendo aplicables a la sociedad tal y como la encontramos en nuestros días , en pleno siglo XXI.

Voy a extractar las principales conclusiones de esta obra sobre el tema que nos ocupa:

"en el sentimiento de amar , reside la salud"

"el amor productivo implica siempre un síndrome de actitudes: solicitud, responsabilidad , respeto y conocimiento".

"La condición para cualquier tipo de vida equilibrada es alguna forma de relación con el mundo, pero sólo la productiva-el amor llena la condición de PERMITIR A UNO CONSERVAR SU INTEGRIDAD MIENTRAS SE SIENTE AL MISMO TIEMPO, UNO CON EL PRÓJIMO".

"El hombre y la mujer pueden crear sembrando semillas, produciendo objetos materiales, creando arte, creando ideas, amándose unos a otros."

*SALUD MENTAL Y SOCIEDAD/:

Hay necesidades humanas que están ligadas a lo que podemos llamar la esfera animal de necesidades del ser humano que serían: hambre, sed, sueño, sexo, gregarismo,...,etc.

Existen también necesidades ligadas a la condición específicamente humana, como por ejemplo y entre otras: necesidad de relación, necesidad de autorrealización, necesidad de transcendencia y de apertura a estados más elevados(que incluso cabe llamar "místicos "y que A. Maslow denominó "Peak Experiences-experiencias cumbre", necesidad de sentimiento de identidad y un marco o cuadro de autoorientación. También aquí estarían incluidas las grandes pasiones del ser humano: su ansia de poder, su vanidad, su anhelo por conocer la verdad, su pasión de amor y fraternidad, sus necesidades de justicia y belleza, y también su destructividad-agresividad, como su productividad-creatividad.

La solución de las personas a sus necesidades es extraordinariamente complicada y depende –dado que la inmensa mayoría de nosotr@s vive en sociedad, de como esa sociedad esté organizada ,organización que , a su vez determina las relaciones de los hombres que viven dentro de ella. Para que el ser humano no enferme y se mantenga sano todas las necesidades mencionadas deben poder ser satisfechas.

Según esto, veamos lo que es una "Sociedad sana" para E. Fromm: Es aquella que desarrolla la capacidad del hombre para amar a sus prójimos, para trabajar creadoramente, para desarrollar su razón y su objetividad, para tener un sentimiento de sí mismo basado en sus propias capacidades productivas.

Por el contrario, una "Sociedad Insana", se caracteriza, según Fromm : por crear hostilidad mutua y recelos entre sus miembros, que convierte a cada ser humano en un instrumento de uso y explotación para otros y le priva de un sano sentimiento de sí mismo salvo en la medida en que se somete a otros o se convierte en un autómata robotizado.

Existen también sociedades ambigüas que por un lado impulsan el desarrollo saludable del hombre y por otro, debido a determinadas circunstancias y singularidades, lo impiden.

Hay que tener en cuenta que Fromm se formó como Psicoanalista y, que para Sigmund Freud la sociedad (él la llamaba civilización) es el producto de la frustración de los instintos y ,por tanto , la causa de las enfermedades mentales.

Mi modesta opinión está un paso más allá de Freud e incluso de Erich Fromm , aun cuando estoy absolutamente de acuerdo con la postura de este último sobre este tema , salvo en detalles de escasa importancia: creo que Freud está en lo cierto, pero no porque la sociedad o la civilización frustre los instintos tan sólo sexuales y agresivos ,sino porque frustra también y muchas veces de raíz los anhelos, ideales , e impulsos instintoides tendentes a la consecución del Bien, de la Verdad, de la Belleza, de la Justicia, de la Perfección, ideales instintoides con los que –y apuntando desde una perspectiva rousssoniana- el ser humano nace y la corrupta sociedad los destroza sustituyendo estos nobles valores humanos e ideales trascendentes, por el dinero, el consumismo , la corrupción, la sumisión, el egoísmo y otros elementos execrables.

Tal y como expresa Fromm:

"Nosotros no elegimos nuestros problemas, sino que nos vemos empujados , obligados, ¿qué es lo que nos empuja? Un sistema que no tiene ninguna finalidad ni meta fuera de sí mismo y que convierte al hombre en (mero) apéndice suyo.

*CONCEPTO DE "SALUD MENTAL" PARA ERICH FROMM:

La salud mental se caracteriza por la capacidad de amar y crear, por la liberación de los vínculos incestuosos con el clan y el suelo, por un sentimiento de identidad basado en el sentimiento de sí mismo(self) como sujeto y agente de sus propias capacidades, por la captación objetiva de la realidad interior y exterior a nosotros, es decir, por el desarrollo de la objetividad y la razón.

Este concepto de salud mental coincide en lo esencial,con las normas postuladas por los grandes maestros espirituales de la especie humana. Esta coincidencia les parece a algunos psicólogos modernos una prueba de que nuestras premisas psicológicas no son científicas, sino "ideales" filosóficos o religiosos. Sin embargo , para el psicólogo humanista A. Maslow que también fue el padre de la psicología transpersonal, la búsqueda de estos ideales elevados dado que caracteriza a la especia humana una vez están previamente satisfechas lo que él denomina necesidades "D"(de deficiencia), es posible también el estudio científico de las necesidades que podemos denominar como superiores.

*CONCEPTO DE ENFERMEDAD MENTAL PARA ERICH FROMM :

En la actualidad, toda regresión desde la Libertad hacia un arraigo artificial en el Estado y en la Raza, es síntoma de enfermedad mental ya que tal regresión no corresponde a la fase evolutiva ya alcanzada por la humanidad y si se produce tiene por consecuencia , fenómenos indiscutiblemente patológicos.

La Salud Mental no puede definirse como adaptación del individuo a su sociedad sino como la adaptación de la sociedad a las necesidades del individuo y por el papel de ella en impulsar o impedir el desarrollo de la salud mental

*CARACTERISTICAS DE LA SOCIEDAD ENFERMA ACTUAL:

A principios del Siglo XIX aproximadamente 4/5 de la población ocupada eran hombres de empresa que trabajaban para sí mismos, posteriormente, hacia 1870 tan sólo pertenecían a este grupo 1/3 y en 1940 esta antigua clase media comprendía únicamente 1/5 de la población ocupada, es decir, tan sólo el 25% de su fuerza relativa 100 años atrás.

Qué nos dicen estos datos: pues que la mayor parte de la población pasó a ser asalariada en lugar de pequeños empresarios libres y autónomos.

En USA, en tiempos de Erich Fromm, 27000 empresas gigantes que constituyen sólo el 1% del total emplean a más del 50% del total de la población activa.

Mientras que la antigua clase media , compuesta de agricultores, negociantes independientes y profesionales, constituía el 85% de toda la clase media, ahora es sólo el 44%;las nuevas clases medias han aumentado del 15% al 56% en el mismo período. Esta nueva clase media está formada por directores(6%),profesionales asalariados(14%),agentes de ventas (14%) y empleados de oficina(22%).

¿Cuál es el carácter social adecuado al capitalismo del Siglo XX?. Fromm responde que necesita hombres que cooperen sin rozamientos en grandes grupos ,que deseen consumir cada vez más y cuyos gustos estén estandarizados y puedan ser influidos y previstos fácilmente. Necesita hombres que se sientan libres e independientes, no sometidos a ninguna autoridad , a ningún principio, a ninguna conciencia ;pero que quieran SER MANDADOS, HACER LO QUE SE ESPERA DE ELLOS Y ADAPTARSE sin fricciones al "mecanismo social".

¿cómo puede el hombre ser guiado sin recurrir a la fuerza, ser conducido sin jefes, incitado sin metas , salvo la de tomar parte en el movimiento, de actuar , de ir adelante,...?.

*ENAJENACIÓN: CARACTERÍSTICAS DE LA PERSONA ENAJENADA SEGÚN ERICH FROMM/:

La persona enajenada no se relaciona productivamente consigo mismo ni con el mundo exterior.

Si el hombre fue creado a imagen y semejanza de dios, fue creado como portador de cualidades infinitas, afirma Fromm.

La persona enajenada es una persona neurótica (en ocasiones psicótica), sus acciones no son suyas; aunque se hace la ilusión de hacer lo que quiere, es arrastrada por fuerzas independientes de ella, que actúan a espaldas de ella; es una extraña para sí misma, lo mismo que le es extraño su semejante.

La persona enajenada siente al otro y a sí misma no como en realidad son, sino deformados por las fuerzas inconscientes que actúan en ellos. La persona psicótica es la persona absolutamente enajenada, que ha perdido contacto con la realidad: se ha perdido por completo a sí misma como centro de su experiencia, ha perdido el sentido de sí misma.

Existen una serie de hechos o fenómenos típicos del proceso de enajenación tales como adoración de ídolos, culto idolátrico de Dios, amor idolátrico a una persona, adoración de un jefe político(presidente, rey,...,etc.) o del Estado y culto idolátrico a las exteriorizaciones de pasiones irracionales.

EL HECHO ES QUE EL HOMBRE NO SE SIENTE A SÍ MISMO COMO PORTADOR ACTIVO DE SUS PROPIAS CAPACIDADES Y RIQUEZAS, SINO COMO UNA COSA EMPOBRECIDA QUE DEPENDE DE PODERES SUPERIORES A ÉL Y EN LOS QUE HA PROYECTADO SU SUSTANCIA VITAL.

LA ENAJENACIÓN TAL COMO LA ENCOTRAMOS EN LAS PERSONAS DE UNA SOCIEDAD MODERNA ES CASI TOTAL, IMPREGNA LAS RELACIONES DEL HOMBRE CON SU TRABAJO, CON LAS COSAS QUE CONSUME ,CON EL ESTADO,CON SUS SEMEJANTES Y CONSIGO MISMO.

EL SER HUMANO HA CREADO UN MUNDO DE COSAS HECHAS POR ÉL COMO NO HABÍA EXISTIDO NUNCA ANTES Y HA CONSTRUIDO UN MECANISMO SOCIAL COMPLICADO PARA ADMINISTRAR EL MECANISMO TÉCNICO QUE HA HECHO.PERO TODA ESA CREACIÓN SUYA ESTÁ POR ENCIMA DE ÉL.NO SE SIENTE A SÍ MISMO COMO CREADOR Y CENTRO SINO COMO SERVIDOR DE UN "GOLEM" QUE SUS MANOS HAN CONSTRUIDO.

La sociedad ha producido lo que el célebre y atinado futurólogo Alvin Tofler denominó burócratas uniformizadores y estandarizadores de la sociedad industrial o civilización de la segunda ola.

El burócrata director no debe tener sentimientos en lo que concierne a su actividad profesional para con la empresa o el estado: EL BUROCRATA COSIFICA A LAS PERSONAS , LAS MANIPULA COMO SI FUERAN CIFRAS O COSAS.

No nos engañemos , este fenómeno se produjo tanto en Occidente, como en la URRS, por ejemplo la URSS tal vez podría haber existido sin un régimen de terror como el que tuvo , pero no podría existir sin un cuerpo de burócratas estandarizados produciendo más estandarización, cosificación y enajenación.

El hecho del consumo compulsivo propio de Occidente es un fenómeno artificialmente provocado, pero hay otro aspecto de la enajenación en las cosas que consumimos: estamos rodeados de objetos artificiales de cuya naturaleza y origen no sabemos nada. El teléfono, la radio , el fonógrafo y todas las demás máquinas complicadas son tan misteriosas para nosotros como lo serían para un hombre de una cultura primitiva; sabemos usarlas, es decir, sabemos qué botón apretar, pero no sabemo según qué principio funcionan , salvo algunas ideas respecto de estos aparatos que aprendimos en la escuela o en secundaria: no sabemos cómo se hace el pan , como se teje la tela ,cómo se construye una mesa ,cómo se hace el vidrio,...,etc.

Dice Erich Fromm que consumimos como producimos: sin una relación concreta con los objetos que manejamos; vivimos en un mundo de cosas y nuestra única relación con ellas es que sabemos producirlas o manejarlas o consumirlas.

Todo ello ha ocurrido por el divorcio entre producción y consumo, según Toffler, antes de la era industrial las personas, por ejemplo los agrigultores eran simultáneamente productores y consumidores, lo que él denomina prosumidores.

Es cierto que mientras el nivel de vida de una población esté por debajo de un nivel digno de subsistencia, hay una necesidad natural de mayor consumo y también es cierto que hay una legítima necesidad de mayor consumo a medida que el hombre se desarrolla culturalmente y tiene necesidades más refinadas de alimentos mejores , de objetos de placer artístico, necesidades culturales, libros,...,etc. pero el caso es que nuestra ansia de consumo está muy por encima de las necesidades reales del hombre con cualquier parámetro que las midamos a éstas.

*Respecto de las crisis económicas y las guerras:

Fromm afirma que la sociedad es como un caballo desbocado, los gigantescos estados y el sistema económico global en su conjunto ya no están controlados por el hombre ,afirma Fromm.

Nunca han dejado de ocurrir hasta ahora las crisis económicas y las guerras .Estos fenómenos sociales parece como si fueran catástrofes naturales y no lo que realmente son , productos hechos por el hombre.

Según Maslow es absurdo pretender que no podemos anticiparnos a las tendencias negativas y que no podemos poner coto para que los flagelos de las crisis económicas y de las crisis no se repitan.

Respecto de la sociedad Fromm afirma que se encamina hacia la barbarie excepción hecha de individualidades más ó menos destacadas.

11-ENEMIGOS EXPERTOS 6 SED SLT: MARIA MIES Y VANDANA SHIVA

María Mies,(socióloga alemana profesora de universidad y autora de varios interesantísimos trabajos sobre feminismo, ecología y patriarcado y ecofeminista en la práctica y que vivió un tiempo en la India)y Vandana Shiva, física hindú experta en filosofía de la ciencia , en ecofeminismo, en semillas de cultivo y conocimientos ancestrales de prácticas agrícolas sustentables, recibió el Premio Nobel alternativo en 1993 y que ha creado la fundación Navdanya.org(1): ambas autoras escribieron mucho sobre el tema que nos ocupa así ,María Mies comenta en el libro que ambas escribieron:

"...La mayoría de los miembros de las sociedades opulentas , viven en una especie de ESTADO DE ESQUIZOFRENIA O DE "DOBLE PENSAMIENTO": son conscientes de las catástrofes de bhopal y chernobil, del "efecto invernadero", de la destrucción de la capa de ozono, de la contaminación progresiva de las aguas subterráneas (y) de los ríos y los mares por fertilizantes, pesticidas, herbicidas y los residuos industriales , y saben que ellos mismos sufren cada vez más los efectos de la contaminación atmosférica, las alergias, el estréss , el ruido y los riesgos para la salud asociados a los alimentos elaborados industrialmente. También saben que su propio estilo de vida y un sistema económico basado en el crecimiento continuo son los causantes de estos efectos negativos que afectan a su calidad de vida. Y sin embargo (salvo escasísimas excepciones) no actúan en consecuencia modificando su estilo de vida."

(página 90.capítulo V el mito de la recuperación del retraso en el desarrollo/divide y vencerás : el secreto de la sociedad industrial moderna, en Mies y Shiva: "Ecofeminismo : Teoría, Crítica y Perspectivas editado en castellano por Icaria/antrazyt).

"Uno de los motivos de esta esquizofrenia es la obcecada esperanza del Norte, la convicción incluso, de que podrá tenerlo todo sin renunciar a nada, que podrá tener cada vez más productos

Ningún partido político de los países industrializados del Norte se atreve a cuestionar esta ecuación esquizofrénica porque temen que esto repercuta sobre sus resultados electorales (página 92 ,ibídem).

1 Navdanya

Navdanya significa "**nueve semillas**" (simbolizando la protección de la diversidad biológica y cultural) y también el "nuevo regalo" . Basándose en el Derecho a recoger y compartir semillas en el contexto de hoy de destrucción biológica y ecológica Navadhanyas (nine seeds)es el último regalo-es un regalo de vida, de herencia y de continuidad . Conservando las semillas se conserva la biodiversidad, conservando el conocimiento de las semillas y su utilización, conservando las culturas y medios de vida, conservando la sostenibilidad.

Navdanya es una red de recolectores y conservadores de semillas y productores de vida orgánica a lo largo de 17 estados de la India.

Navdanya ha ayudado a organizar 111 bancos comunitarios de semillas a lo largo de toda la India, entrenado a unos 500000 granjeros en la soberanía de las semillas y la soberanía alimentaria y la agricultura sostenible y ha ayudado a organizar la más amplia red de marketing directo de comercio justo de materias vegetales orgánicas en la India.

Navdanya también ha fundado una granja de aprendizaje, **Bija Vidyapeeth** (School of the Seed / Earth University) sobre la conservación de la biodiversidad y el cultivo orgánico en Doon Valley, Uttarakhand, North India.

Navdanya está implicada activamente en el rejuvenecimiento de la cultura y el conocimiento indígenas.

Navdanya es un movimiento ecofeminista centrado en las mujeres para la protección de la biodiversidad y la vida y contra la biopiratería que es una de las culpables del cambio climático..

12-LAS VÍCTIMAS CÉLEBRES MÁS DESTACADAS:

13-.VÍCTIMAS 1 : MARTHA MITCHELL: EL EFECTO MARTHA MITCHELL O EL COMPLEJO DE CASSANDRA:

La primera vez que me topé con Martha Mitchell, fue estudiando el Manual de Psicopatología de Amparo Belloch, Bonifacio Sandín y Francisco Ramos, publicado en McGrawHill, interamericana. En ese manual, al hablar de los delirios pone en guardia a los futuros psicólogos llamando la atención sobre el hecho innegable de que en no pocas ocasiones lo que se toma por delirios posteriormente se demuestra que es real y no un delirio de la mente del "paciente", como nos ilustran los ejemplos de que en La extinta Unión Soviética cuando querían eliminar un(a) disidente los acusaban de que padecían "delirios reformistas" o "metafísicos" y los encerraban o recluían a continuación en hospitales psiquiátricos ad hoc, así mismo estos autores del manual de psicopatología(uno de los cuales fue profesor mío en la Universidad, Francisco Ramos),también reflejaban la figura de Martha Mitchell que era esposa de un Fiscal General en la época de Nixon y que literalmente destapó el "watergate",no se la creyó, fue sedada y posteriormente se demostró que tenía razón.

En la última edición de este Manual de Psicopatología , dice concretamente lo siguiente:

"....como señala Reed(1978,1988),aplicar el criterio de veracidad o falsedad a una creencia es bastante complicado. Por ejemplo, si un vecino viniese un día a acusarnos de estar implicados en una conspiración en contra suya, es muy probable que la mayoría de nosotros dijera que lo que esa persona cree es falso. Sin embargo si un amigo nuestro cree que existe vida en Venus o que Dios existe o que es una persona más torpe que la mayoría, es asimismo muy probable que no catalogáramos ninguna de estas creencias como verdaderas o falsas. Como máximo hablaríamos de plausibilidad, coherencia, probabilidad, consenso social, etc. En este sentido diversos autores han propuesto que el término delirio sólo se aplique a aquellas creencias que sean totalmente increíbles y completamente absurdas(recuérdese a este respecto la definición propuesta por Jaspers)Pero sin embargo, seguimos sin disponer de criterios objetivos sobre lo absurdo o lo increíble de una creencia. Así la implicación de que toda creencia delirante conlleva, por definición contenidos fantásticos o increíbles cuenta con ciertas dificultades. Un ejemplo claro de que los delirios pueden contener "verdades" o incluso " volverse verdades" lo constituyen los delirios celotípicos que consisten en la convicción de que la actual pareja sexual es infiel. ADEMÁS, LA MAYORÍA DE LOS CLÍNICOS QUE SE HAN ENFRENTADO A PACIENTES DELIRANTES PODRÍA NARRAR ALGUNA EXPERIENCIA EN LA QUE,LO QUE AL PRICIPIO PARECÍA ABSURDO, RESULTÓ SER CIERTO.COMO SEÑALA MAHER(1988ª),ESTO SE DENOMINA COLOQUIALMENTE EN ESTADOS UNIDOS COMO EL EFECTO MARTHA MITCHELL: ÉSTA ERA LA ESPOSA DE UN GENERAL AMERICANO,QUE FUE DIAGNÓSTICADA DE SUFRIR ALGÚN TIPO DE PATOLOGÍA, DEBIDO A LAS ACUSACIONES QUE HACÍA SOBRE ACTIVIDADES ILEGALES EN LA CASA BLANCA,HASTA QUE EL CASO

WATERGATE DESVELÓ QUE ESTABA EN LO CORRECTO"(PÁG.228 Manual de Psicopatología Belloch, Sandín , Ramos, las mayúsculas son mías no de los autores).

Para quien quiera profundizar en la figura de Martha Mitchell, víctima inocente donde las haya, y para los que dominen el inglés les recomiendo el libro :

*-.Charles Ashman and Sheldon Engelmayer:"Martha : the mouth that roared". Berkley Medallion Book.1973.

Pero existen muchos más sobre esta brava mujer, eso sí todos en inglés y sólo disponibles en librerías de importación y de segunda mano.

Lo de "complejo de Casandra", viene por la Casandra de la mitología a quien El Dios Apolo concedió el don de la profecía de los hechos del futuro y la maldición de que nunca sería creída cuando profetizara.

Los datos sobre este autor los he tenido que sacar de
Wikipedia española, puesto que no sé suficiente alemán como
para investigar fuentes en dicho idioma y porque ni en
castellano, ni en inglés ni en francés existen muchos datos
sobre este hombre víctima de su propio exceso de celo.

Günter Weigand (1924, Olsztyn, Prusia Oriental) es un
economista alemán, "jurista amateur" y "abogado del
pueblo" (*Sozialanwalt*) autoproclamado que fue víctima de
un escándalo psiquiátrico.

Originario de Prusia Oriental, Weigand pasó su juventud
en Düsseldorf. De 1942 a 1945 estuvo en el ejército
aleman. Después de la guerra trabajó en el servicio postal
y Se graduó como economista . Entonces decidió "ayudar
a los más desfavorecidos, quienes por su cuenta propia,
debido a la falta de fondos, no podían hacer valer sus
derechos civiles."Weigand participó, entre otras cosas, en
la "Unión alemana de la Paz" (*Deutsche Friedensunion*).

En el "caso Blomert", Weigand, en la época llamado
"azote de Münster" tentó aclarar las circunstancias de la
muerte del abogado Paul Blomert, que tuvo lugar en 1961.
Acusó a los tribunales de Münster de tal manera que
comenzaron a acusar al propio Weigand por desorden
civil, y consiguieron encerrarlo en la Clínica Psiquiátrica
Eickelborn. Investigaciones posteriores revelaron que
Weigand fue víctima de errores judiciales.

Heinrich Böll estuvo muy sensibilizado por el caso Weigand, por eso puso a disposición una suma considerable para su defensa". De acuerdo con el experto en derecho penal Karl Peters, Weigand es, junto con Frank Arnau, Heinz Kraschutzki y Hans Martin Sutermeister, un "combatiente feroz para la ley".

Pero claro, nadie jamás podrá compensar debidamente a Weigand por lo que tuvo que sufrir al ser hospitalizado pasando a ser un "loco", alguien "estigmatizado", tal y como se debían sentir los judíos en los campos de concentración, cosificado, sin derecho a ser creído, convertido en un musselmaner en una no-persona.

Afortunadamente, Weigand pudo demostrar su inocencia, pero éste caso nos revela dos cosas muy importantes:

1-. Que en no pocas ocasiones a quien es molesto con los poderes fácticos se le acusa de loco y se le recluye en un sanatorio , independientemente de que esté sano mentalmente o no.

2-. Nadie puede compensar a alguien a quien han obligado a pasar por una de las circunstancias más Estresantes , denigrantes e inhumanas por las que se puede pasar incluso en el occidente civilizado.

15-VÍCTIMAS 3-ANARQUISTAS ACUSADOS DE LOCOS E INTERNADOS-RICARDO MELLA –LOMBROS O Y LOS ANARQUISTAS-

En los dos casos de víctimas que hemos mencionado en los capítulos anteriores, Martha Mitchell y Gunter Weigand hemos podido contemplar como en nuestro civilizado mundo del siglo XX se han cometido verdaderas injusticias como las de hospitalizar psiquiátricamente a gente sana sólo porque eran críticos con el poder.

A continuación exponemos el caso de los anarquistas, a los y a las anarquistas , obviamente personas que son muy críticas con el poder también les ha sucedido en no pocas ocasiones éstos ultrajes que venimos de comentar: en este capítulo veremos 2: Hyppolite Havel, anarquista europeo que fue novio de la célebre Emma Goldman y que sufrió en sus carnes la persecución en Europa por ser anarquista: fue internado y acusado de locura. Afortunadamente el sabio psiquiatra Kraft-Ebing lo liberó.

También tenemos a Marius Jacob, anarquista francés que se fugó de un psiquiátrico y que se convirtió en una especie de Robin Hood moderno robando a los ricos y dándoselo a los pobres , escribió un libro titulado "Por qué he robado".Marius Jacob podía ser anarquista y ladrón pero no estaba loco.

Dicho sea de paso, una tendencia creciente en Psiquiatría y Psicología Clínica es la de psicopatologizar conductas y darles tratamiento farmacológico y hay que dejar muy claro que no es lo mismo padecer un trastorno mental que ser un delincuente: es decir no es lo mismo cometer un delito que estar momentáneamente enajenado ambas circunstancias pueden coincidir en algún caso pero no es lo mismo.

De todo esto ya se dio cuenta hace mucho el genial anarquista y topógrafo gallego Ricardo Mella , quien en su libro "Lombroso y los anarquistas" , critica duramente a este médico y criminalista italiano que creía en algo tan delirante como la frenología de Gall o en el hipnotismo y los fenómenos paranormales a los que considera dignos de ser objeto de estudio científico y también considera a los anarquistas como enfermos mentales. Hoy Lombroso es ya sólo una infortunada curiosidad histórica y sus ideas se han visto completamente refutadas.

Incluso en nuestro país, Angel Pestaña, el célebre líder de la CNT, y candidato del posibilismo en el único que yo sepa partido anarquista que ha existido: "Partido sindicalista", fue en su juventud y en sus primeros tiempos como trabajador, encerrado en una casa de locos con el fin de que se ablandase , se asustase y "cantase", tal y como él mismo refiere en su libro "Lo que aprendí en la vida " en el tomo I en uno de los primeros capítulos.

A lo largo del siglo XIX y comienzos del XX fue típico no sólo en nuestro país sino también en el resto del mundo utilizar la psiquiatría contra las capas más pobres y más vulnerables de nuestra sociedad: analfabetos, inmigrantes, prostitutas, homosexuales, indigentes, alcóhólicos, morfinómanos,…,…,etc.

El episodio de Hyppolite Havel con Kraft. Ebbing aparece recogido en el libro autobiográfico de Emma Goldman : "Viviendo mi vida":

"...mi compañero checo vino a verme con frecuencia....gradualmente me fui enterando de que había entrado en el movimiento cuando tenía sólo dieciocho años y que había estado en prisión varias veces, una de ellas por un período de dieciocho meses. En la última ocasión le enviaron al ala de psicópatas, donde quizá seguiría si no hubiese suscitado el interés de Krafft-Ebing, quien le declaró cuerdo y le ayudó a recobrar la libertad.
Había estado activo en Viena , de donde fue expulsado, después de lo cual había recorrido Alemania, dando conferencias y escribiendo para publicaciones anarquistas. Había visitado París, pero no le dejaron que se quedara mucho tiempo, fue expulsado. Finalmente fue a Zurich y de allí a Londres.Como no

tenía oficio se veía obligado a aceptar
todo tipo de trabajos. En ese momento
trabajaba en una casa de huéspedes
haciendo de todo, sus tareas empezaban
a las cinco de la mañana...
Gradualmente empecé a darme cuenta
de que el placer que sentía en compañía
de Havel era causado por algo más que
simple camaradería, el amor exigía sus
derechos otra vez".
("Viviendo mi vida " Emma goldman
tomo I edición de la FAL: Fundación de
Estudios libertarios Anselmo Lorenzo:
págs 292,293,294)

16-VICTIMAS 4– CUANDO LA VÍCTIMA ES UN GENIO-HERMAN HESSE PREMIO NOBEL.

Herman Hesse, el célebre e inmortal autor de libros ya clásicos como: "El lobo estepario","Damien","Siddharta" o "Mi credo", que obtuvo el Premio Nobel de Literatura y que se relacionó con intelectuales como el genial psiquiatra C.G. Jung, también en su juventud debido a sus inclinaciones poéticas fue internado psiquiátricamente. Afortunadamente a pesar de ello ,logró rehacer su vida, trabajó de muchas cosas y llegó a ser el autor inolvidable y sensible del que todos hoy podemos disfrutar:

En realidad la cosa fue así: Herman Hesse deseaba ser escritor y tenía inclinaciones artísticas ("mamá: quiero ser artista"). Sus padres no lo toleraban ,lo que provocó en Hesse, ideación suicida ante la frustración de su vocación e incluso un (afortunadamente)fallido intento de suicidio, lo que fue finalmente el motivo de que lo internaran en un psiquiátrico. Sin embargo salió, trabajó como librero , se casó ,sufriendo posteriormente su esposa una "crisis esquizofrénica" y viajó por Ceilán e Indonesia, fue psicoanalizado y llegó a conocer a Jung : la correspondencia entre ambos fue publicada por el diplomático y neonazi chileno, Miguel Serrano.

Sin duda, fue Hesse una de las figuras más influyentes en la cultura y en la literatura del Siglo XX: y quién se atrevería a dudar de la óptima salud mental de este genio cuando pone en boca de su Siddharta las siguientes palabras: "escribir está bien

, pensar es mejor.Tener inteligencia está bien , tener paciencia es mejor".

17-VÍCTIMAS5-FALUN GONG –CUANDO LA VÍCTIMA LO ES POR RELIGIÓN-

Este capítulo está muy basado en"wikipedia.es" puesto que considero a esa enciclopedia virtual como objetiva , veraz y no tendenciosa. Ello ha sido así porque, de un lado ,el gobierno chino ha llegado a considerar a este nuevo movimiento religioso como una arma de la CIA y existen personas e instituciones que critican a Falun gong por diversos motivos por lo que hay que tener cuidado con qué fuentes se utilizan para poder ofrecer una visión veraz de lo que en realidad es Falun gong y del terrible genocidio de que son objeto sus practicantes en pleno siglo XXI.

Falun Gong, (literalmente y en español, "*Práctica de la Rueda de la Ley*"), también conocido como **Falun Dafa**, es considerado por sus creadores y sus practicantes como una disciplina espiritual introducida en China en 1992 por su fundador, Li Hongzhi, un ex guardia de seguridad chino exiliado en Nueva York. Se basa en los principios de "verdad, benevolencia y tolerancia" y combina la práctica de la meditación y ejercicios con filosofía moral. Se identifica como una práctica de qigong(también traducido como chi kung,en definitiva qi gong hace referencia a una serie de ejercicios para sintonizar la mente y el cuerpo, a una forma de meditación y a una filosofía de vida e incluso una religión y existen muchas escuelas de chi kung diferentes en China (también existe una práctica similar denominada tai chi) de la escuela Buda, aunque sus enseñanzas también
incorporan elementos extraídos de las tradiciones taoístas.
Falun Gong emergió al final del "*boom del qigong*" (1992)de China, un período que vio la proliferación de prácticas similares de meditación, ejercicios lentos y respiración regulada.A diferencia de otrasescuelas de qigong(qi o chi es la denominación china de la energía sutil que los hindúes llaman "prana") no implica costes o

afiliación formal, también se caracteriza por la ausencia de rituales diarios o veneración. Pone además, gran énfasis en la moralidad y en la naturaleza teológica de sus enseñanzas. Académicos occidentales han descrito Falun Gong como una disciplina de qigong, un "movimiento espiritual" basado en las enseñanzas de su fundador o en un "sistema de cultivación" en la tradición de la antigüedad China,y a veces como un nuevo movimiento religioso (NMR).

Introducción a las enseñanzas

Falun Gong también se conoce como Falun Dafa. Las enseñanzas cubren una amplia gama de temas desde lo espiritual, científico y moral. Fue la práctica de qigong de crecimiento más veloz en la historia de China y para 1999 había entre 70 y 100 millones de practicantes.

Las enseñanzas de Falun Gong están basadas en los principios Zhen 真, Shan 善 y Ren 忍, 'Verdad, Benevolencia/Compasión, y Tolerancia'[7] tal como se expresa en los dos libros capitales de Falun Gong y Zhuan Falun.

El concepto de "práctica de cultivación" en Falun Gong puede dividirse en dos partes, "Cultivar" hace referencia a la elevación del xinxing del practicante (corazón/naturaleza del pensamiento) − a través del abandono de los apegos, y la asimilación de uno mismo con la "Verdad-Compasión-Tolerancia" y la práctica, los cinco ejercicios meditativos.

Falun Gong afirma basarse en las creencias tradicionales chinas de que los humanos están conectados con el universo a través del cuerpo y la mente.

Su Maestro Li dice que la elevación del xinxing (la naturaleza de la mente o el corazón, carácter moral) es fundamental para cultivarse-refinarse. La mejora del xinxing significa renunciar a los apegos terrenales, que impiden el despertar. Los apegos serían: celos, competitividad, fama, ostentación, avaricia, ira, lujuria, etc.

Falun Gong 2

Por toda China, antes de julio de 1999, «cientos de personas [practicaban al amanecer] en los parques y en las aceras

a cámara lenta al ritmo de la música los ejercicios de Falun Gong…
pancartas amarillas y rojas colgaban de los
árboles presentando el método y sus principios. En la tarde,
frecuentemente los practicantes se encontraban en el
hogar de algún discípulo para leer el Zhuan Falun, discutir las
enseñanzas e intercambiar las experiencias de
cultivación".
El líder de Falun Gong, Li Hongzhi ha expresado públicamente en
varias ocasiones su rechazo abierto a la población
homosexual. Durante una lectura en Australia el líder de Falun Gong,
manifestó esta homofobia, cuando dijo, "Cosas
como el crimen organizado, la homosexualidad, y el sexo libre, etc.,
ninguna se corresponden con el estandar
necesario para poder ser considerado un ser humano" A la luz de las
declaraciones con contenido homófobo del líder
de Falun Gong, Li Hongzhi, la nominación al premio Nobel de la Paz
a la que había sido presentado por San Francisco, fue retirada por las
autoridades en 2001.Hay que tener en cuenta que por ejemplo en nuestras latitudes
la Iglesia Católica o , al menos, parte de su jerarquía también presenta actitudes
homófobas y no por ello es justo perseguir a los practicantes católicos y hacer un
genocidio con ellos como ha ocurrido con las personas practicantes de Falun gong.

Enseñanzas morales conservadoras

Las enseñanzas morales conservadoras del Sr. Li Hongzhi han atraído
cierta preocupación en Occidente, incluyendo
sus puntos de vista sobre la homosexualidad. Durante una conferencia
en Australia, por ejemplo, el Sr. Li dijo:
"Actos tales como el crimen organizado, la homosexualidad, el sexo
promiscuo, etcétera, nada de esto es norma de la conducta humana",
enseña que ciertas prácticas "generan más karma", esto no equivale a
una declaración de posición, una "postura" con respecto a algún
asunto social o una regla.Al hablar de la proyección de Falun Gong
como "anti-gay", Ethan Gutmann señala que las enseñanzas de Falun
Gong son "esencialmente indistinguibles" de las religiones
tradicionales, como el cristianismo, el islam y el budismo.

Persecución en China

Aunque la práctica disfrutó inicialmente del apoyo de la burocracia
china, para mediados y finales de los 90, el Partido Comunista y los
órganos de seguridad pública fueron modificando su punto de vista en

114

relación a Falun Gong considerando que su tamaño, su independencia del Estado y sus enseñanzas espirituales podían suponer un peligro para las autoridades. De hecho, en 1999, algunas estimaciones situaban el número de miembros de Falun Gong en más de 70 millones, excediendo el total de miembros del Partido Comunista Chino.

En julio de 1999, la cúpula del Partido Comunista de China (PCCh) decidió que Falun Gong era una secta nociva para el Estado, la sociedad y sus practicantes, dando lugar a una ofensiva a escala nacional para erradicar su práctica.

En octubre de 1999 fue declarada una "organización herética" y se empezó a prohibir el acceso a páginas web de Internet que mencionaran Falun Gong. Grupos de derechos humanos (principalmente Amnesty International y Human Rights Watch, pero no sólo ellas, lo que me recuerda que existe una página web disidente en chino , un portal de noticias llamado boxun.com) han informado que los practicantes de Falun Gong en China se encuentran sometidos a una amplia gama de abusos de los derechos humanos; se cree que cientos de miles han sido encarcelados extrajudicialmente, y los practicantes detenidos son sometidos a trabajos forzados, abuso psíquico, tortura severa y otros métodos coercitivos de reforma de pensamiento a manos de las autoridades chinas.

Aun así, algunas fuentes estiman que decenas de millones siguen practicando Falun Gong a pesar de las actuaciones de las autoridades chinas y de su insistencia en considerarla como una secta.

Según informó Amnistía Internacional "el 15 de octubre de 2003, quince víctimas interpusieron una querella criminal contra miembros del Partido Comunista Chino por las torturas, persecución y genocidio cometidos en China desde el año 1999 contra practicantes de Falun Gong. Actualmente existe un total de cuatro querellas acumuladas y finalmente admitidas a trámite en la Audiencia Nacional contra el ex presidente Jiang Zemin y los miembros del partido Luo Gan, Jia Qinglin y Wu Guanzheng".El problema es qué va a pasar con esto, teniendo en cuenta que, en esta legislatura se ha puesto fin a la justiciabilidad universal en España, sin embargo, en Argentina sí que continúan los procesos a favor de castigar a los que torturaron a las personas practicantes de Falun gong. La respuesta ante el terrible tratamiento psiquiátrico y de desintoxicación a que son sometidos much@s seguidor@s y practicantes de Falun gong,el gobierno chino alegó que fueron los familiares en la mayoría de las ocasiones quienes llevaron a sus parientes a terapia psiquiátrica y lo triste es que en muchos casos está en lo cierto el gobierno chino, pues dada la enorme y masiva campaña de propaganda y de desprestigio orquestada por el partido comunista chino contra estos practicantes de este Nuevo Movimiento Religioso basado en las ancestrales prácticas del Chi Kung o Qi Gong y amalgamado con teorías hinduistas como la del karma,los familiares se asustaban creían la propaganda y trataban de "curar" de sus creencias a sus parientes.

Pero la persecución y genocidio de l@s practicantes de Falun gong no se reduce sólo a estos dramáticos hechos , tal y como aparece en el reportaje de Público televisión del diario español Público(reportaje muy recomendable, por cierto, dicho sea de paso) en la serie documental dedicada a la anulación de la Justicia Universal en España,se han testimoniado casos de que a personas practicantes de Falun gong se les han extraido "in vivo"(al más digno estilo del Dr.Mengele de infausto recuerdo) órganos para el tráfico de órganos.

Juicios en Argentina por el genocidio contra los practicantes deFalun Gong

Aplicando el Principio de Jurisdicción Universal -por ser un crimen de lesa humanidad- el juez argentino Octavio Aráoz de Lamadrid, citó en el año 2009 a indagatoria, pidiendo la captura de Jiang Zemin (ex presidente de la República Popular de China) y uno de los entonces más altos jerarcas del Partido, Luo Gan (ex secretario del Comité de Asuntos Políticos y Legales del Comité Central del Partido Comunista de la República Popular de China, Coordinador de la Oficina de Control de Falun Gong), máximos responsables del genocidio.
El Juez Federal Octavio Aráoz de Lamadrid dispuso recibir la declaración indagatoria de Jiang Zemin y Luo Gan.
La medida fue dispuesta en la causa originada en la denuncia presentada por la Presidente de la Asociación Falun

Dafa, Sra. Liwei Fu ante los delitos de Lesa Humanidad cometidos en el territorio chino. En esta causa, los abogados querellantes -Dres. Alejandro Cowes y Adolfo Casabal Elía - señalaron que la evidencia analizada por el Juez Federal Octavio Aráoz de Lamadrid incluye los testimonios orales de 17 víctimas de persecución y torturas.En estas actuaciones fueron agregados informes elaborados por Human Rights Watch, Amnistía Internacional y por la Organización de las Naciones Unidas.[18] "Escuchar a los 17 testigos que declararon en la causa, me hizo sentir en carne propia lo que es vivir bajo una dictadura comunista. Me ayudó a comprender también lo que pasó en la Argentina en el pasado", declaró Cowes.

En su resolución el **Juez Federal Octavio Aráoz de Lamadrid** expresó "entiendo que en el presente caso deben aplicarse los principios de la Jurisdicción Universal atento a la entidad de los delitos denunciados, las magnitud de víctimas que habría sido afectadas y el corte ideológico que se le imprimió a la maniobra dirigida contra integrantes de la agrupación religiosa Falun Gong". También el Dr. Octavio Araóz de Lamadrid detalló los ataques recibidos por ciudadanos argentinos practicantes de Falun Gong, haciendo referencia a los procesos judiciales en trámite ante la Justicia en lo Correccional y Criminal Federal de la Capital Federal. Poco después, luego de presiones de la embajada china se intentó archivar la causa. Luego de diversas apelaciones, el 17 de abril de 2013, la Cámara de Casación Argentina ordenó su reapertura: "Es de rigor frente a hechos de la naturaleza de los que se exponen poner el máximo esfuerzo en su determinación", dispuso la jueza Catucci en su sentencia. Actualmente la causa viene siendo procesada en el Juzgado Federal N° 9.

Bibliografía

• Los libros, las conferencias, y los materiales de los ejercicios se han traducido a más de 40 idiomas y están disponibles en internet para descargar de manera gratuita.
• *Zhuan Falun – Girando La Rueda del Fa*. Considerado como el centro y la exposición más comprensible de las enseñanzas de Falun Gong. Primera publicación en enero de 1995.
• *Falun Gong*. Considerada una exposición introductoria de los principios de Falun Gong y el concepto de 'práctica

de cultivación', también incluye las descripciones de los ejercicios de Falun Gong. Primera publicación, abril de1993.

• *Nueve Lecciones Diarias sobre Falun Dafa.*
• 'Hong Yin'. Una colección de poemas breves.

18-VÍCTIMAS 6-PSIQUIATRÍA CONTRA DISIDENTES POLÍTICOS EN RUSIA Y EN LA UNION SOVIÉTICA-EJEMPLO-MARINA TRUTKO-

El abuso político de la Psiquiatría hace referencia al mal uso del diagnóstico psiquiátrico, de la detención y del tratamiento psiquiátrico con fines únicamente de obstruir los derechos humanos de ciertos grupos o individuos en una sociedad. En otras palabras, el abuso de la psiquiatría , incluyendo el abuso de la Psiquiatría con fines políticos , hace referencia a la acción deliberada de psiquiatrizar a aquellas personas que por su condición mental no necesitan ni restricciones psiquiátricas ni tratamiento psiquiátrico.

Algunos psiquiatras han estado implicados en abusos de los Derechos humanos en numerosos estados alrededor del mundo cuando se han expandido las definiciones de enfermedad mental para que incluyeran la desobediencia política·

En nuestros días en muchos países a los presos políticos se les confina y se les abusa en instituciones .El confinamiento psiquiátrico de gente sana está considerado unánimemente como una forma particularmente perniciosa de represión

1-. ABUSOS DE LA PSIQUIATRÍA EN LA URSS:

Entre 1960 y 1986 el abuso psiquiátrico con propósitos políticos ha estado documentado en varios países de Europa del este tal que : Rumanía, Hungría, Checoslovaquia, Yugoeslavia además de en la Unión Soviética

En la extinta Unión de Repúblicas Socialistas Soviéticas ,se utilizó en no pocas ocasiones (además de la ya clásica "deportación al gulag" ,en el que estuvo, entre las millones de víctimas ,el célebre Alexander Soljenistzhin) se utilizó la Psiquiatría como arma política para desacreditar y anular a disidentes políticos: así quien fuera simplemente "sospechoso" de simpatizar con Occidente o bien planteáse algún tipo de reforma o cualquier incluso "inocente " novedad que no estuviese en consonancia con los dictámenes del Partido comunista ruso, automáticamente era diagnosticado de "delirios reformistas" o bien de "delirios metafísicos" o bien de "Esquizofrenia latente", incluso llegaron esos psiquiatras represores a "inventar " un nuevo tipo de esquizofrenia cuyo nombre ahora no recuerdo, y naturalmente, tratados con el terrible arsenal terapéutico disponible en aquel entonces y con encierros más o menos prolongados en inmundos hospitales psiquiátricos.

2-.ABUSOS DE LA PSIQUIATRÍA EN LA RUSIA ACTUAL POR MOTIVOS POLÍTICOS Y DE CONTROL SOCIAL:

Todo apunta a que de hecho Rusia tiene todavía una estructura autoritaria dispuesta a ejercer el abuso político de la Psiquiatría. Tanto los poderes fácticos (La Nomenklatura) politicos como económicos son muy poderosos en Rusia y ahora que han absorbido el poder económico de los oligarcas rusos y hay que tener en cuenta que el país está en la práctica controlado por un círculo de personas procedentes de- o vinculadas a- la antigua KGB cuyas capacidades de controlar son prácticamente ilimitadas.

Existen varios casos muy destacados como pueden ser los siguientes:

- Individual cases
  - 1 Ivan Ivannikov
  - 2 Rafael Usmanov
  - 3 Igor Molyakov
  - 4 Albert Imendayev
  - 5 Roman Lukin

120

- o 6 Nikolai Skachkov
- o 7 Marina Trutko
- o 8 Svyatoslav Barykin
- o 9 Dmitri Shchyokotov
- o 10 Vladimir Bukovsky
- o 11 Artyom Basyrov
- o 12 Andrei Novikov
- o 13 Larisa Arap
- o 14 Marina Kalashnikova
- o 15 Alexey Manannikov
- o 16 Nadezhda Nizovkina
- o 17 Pussy Riot
- o 18 Mikhail Kosenko
- o 19 Other cases

De entre ellos destacamos el de Marina Trutko una científica nuclear y activista política que en marzo de 2006 fue obligada a inyecciones diarias durante seis semanas en el hospital Psiquiátrico Nº14 en Dubna, Rusia para ser tratada de "Trastorno Paranoide de la Personalidad",varias páginas web en internet e incluso algunos medios de comunicación se han hecho eco de esta pobre víctima política de la psiquiatría.

19-VÍCTIMAS 7-GUNTER WALLRAFF-"CABEZA DE TURCO"-CUANDO LA VÍCTIMA ES EL INMIGRANTE:

Si viviésemos en Alemania, Gunter Wallraff tampoco necesitaría presentación puesto que este periodista free-lance y escritor de serios reportajes publicados como libros, de los cuales tan sólo uno que yo sepa ha sido publicado en nuestro país (al que me referiré posteriormente): en ellos realiza lo que en su nombre se ha llamado" wallrafen"("wallraffear" , en castellano) que es una técnica periodística por la cual el reportero de incógnito adquiere durante un período de tiempo una nueva identidad para "infiltrarse" y poder de este modo ser testigo de hechos que de otro modo nadie descubriría(Un notable precedente de este tipo de periodismo fue Nelly Bly – periodista norteamericana muy popular en su época-quien , a principios del siglo XX, se introdujo en un manicomio para mujeres haciéndose pasar por enferma mental, para posteriormente publicar su experiencia y poner de manifiesto las tremendas y lúgubres condiciones en que vivían las personas que tenían la mala fortuna de ser internadas en esos infernales lugares, así publicó un reportaje titulado :"Ten days in a madhouse"),al estilo de lo que hace el reportero Antonio Salas en España infiltrándose en el entramado neonazi español en su libro "diario de un skin" ,y en otros ámbitos en libros posteriores como "el palestino".

Gunter Wallraff tuvo la mala fortuna de ser , cuando su servicio militar, internado en un psiquiátrico, pues pretendía declararse objetor de conciencia en aquella época(1963),para no perder "su norte", comenzó a escribir un diario, cuya lectura supuso que el popular escritor y literato Heinrich Böll quien fue premio nobel, le comentase que lo publicara lo cual fue un éxito y orientó definitivamente la carrera de Wallraff al periodismo.

Como ya he mencionado tan sólo existe un libro de Wallraff publicado en castellano :"Cabeza de turco": como es bien sabido, en Alemania la mayoría de los inmigrantes procedían de Turquía en los tiempos en los que Wallraff realizó sus populares trabajos: a lo largo del libro vemos que Wallraff se hace pasar por turco y solicita trabajo, viendo que sólo le ofrecen los peores, los más mal pagados e incluso los tóxicos (no sólo en el sentido del ambiente humano sino también en el físico) y los peligrosos. Quedando por tanto demostrado que es a los inmigrantes a los que se les ofrecen los peores trabajos cuando ya por aquella época se daba el caso que no había trabajo mínimamente decente ni para los nacidos en el país y/o debidamente cualificados.

Leí "Cabeza de turco " a los 17 años y tengo que decir que me impresionó y creo que aún hoy resulta francamente actual, por lo que sigo recomendando su lectura. Lo malo es que ya es sólo factible adquirirlo en librerías de viejo y de segunda mano.

20-ÉPÍLOGO-¿MOTIVOS PARA LA ESPERANZA?-ÉRASE UNA VEZ LA TIERRA ...¿Y MAÑANA?-

En la primera parte de este modesto trabajo, hemos puesto el dedo en la llaga de diversos aspectos negativos, serios problemas y graves carencias de la Sociedad Occidental.

En este epílogo pretendemos en primer lugar reflexionar acerca de cómo debería ser una sociedad "buena", en segundo lugar vamos a bosquejar un panorama menos sombrío.

Allá va pues, la reflexión:

Para comenzar, cabría preguntarse si la sociedad como un todo(al igual que, por ejemplo, una colmena de abejas, un hormiguero o un nido de termes)es susceptible de tener un compotamiento inteligente:¿es posible el comportamiento inteligente en la sociedad enferma?

Para que un ente (en este caso colectivo: la sociedad) presente inteligencia, en primer lugar debe estar abierta al aprendizaje y su comportamiento debe modificarse y adecuarse en función de si las circunstancias son neutras, desfavorables o favorables, debe ser modificable su comportamiento por la experiencia por lo que debe existir un continuo feedback o retroalimentación (en palabras de Miller, Galanter y Pribram en "Planes y estructura de la conducta")en palabras del cibernético Norbert Wiener:

En este sentido , decía el psicólogo humanista Abraham Maslow que habría que favorecer la creación de lo que él denomina Sociedad Eupsíquica para que en el futuro todas y cada una de las personas puedan autorrealizarse plenamente.

Según Maslow las mejoras tecnológicas pueden resultar peligrosas más que benéficas si no se ponen en las manos adecuadas y si no se regula su uso.

Respecto del discurso predictivo acerca de la sociedad del futuro, Maslow anticipaba en los años 60-70 del pasado siglo XX, algo que aún no se ha llevado a cabo en el siglo XXI:

Según Maslow:

"...Otra forma de caracterizar la petulante ingenuidad de gran parte del discurso predictivo es la siguiente: gran parte del mismo se reduce a inútiles extrapolaciones del presente, meras proyecciones de las tendencias actuales. Por ejemplo: se dice que, según el actual ritmo de crecimiento de la población en el año 2000 habrá "x" personas,...., es como si fuéramos incapaces de controlar o planificar nuestro futuro, como si no pudiéramos invertir las tendencias actuales que rechazamos".

La solución para la sociedad del mañana es educar consistentemente, fomentando los valores de los Derechos Humanos y el respeto mutuo:

"educad a los niños y no tendréis que castigar a los hombres" decía Concepción Arenal parafraseando a un clásico de la antigüedad.

Por otro lado reducir los gastos en defensa, crear obras comunes pues las obras comunes crean sentimientos comunes como afirmó Freud e invertir de forma desmesurada en I+D+I especialmente en ámbitos como las energías no derivadas de hidrocarburos, la miniaturización y eficiencia de los vehículos de transporte , la ecología, el tratamiento y reciclaje eventual de las basuras,...,etc.

¿Hay algunas razones para la Esperanza?:

Algunas hay, entre ellas destaco:

1-. En EEUU se está comenzando a impartir yoga en las escuelas de forma obligatoria a través de programas.

2-.En las escuelas, tanto europeas como americanas, hay voluntad de utilizar el aprendizaje cooperativo siguiendo las indicaciones de personas como Aaronson y Slavin.

3-. Personas de las élites en 2014 tal que Koffi Anan, han planteado que es preciso cambiar la política de drogas hacia una mayor permisividad, hacia la legalización de las drogas blandas y la despenalización del consumo de las duras.

4-. Echenique, un investigador del CSIC discapacitado ha llegado a eurodiputado con la formación "Podemos".

5-. Ser transexual ya no se considera patología en el" V- Manual Diagnóstico y Estadístico de los Trastornos Mentales "de la APA americana.

6-. En los Estados de Colorado y Washington de los USA(prohibido prohibir) ya es legal el cannabis para uso recreativo y varios estados más han despenalizado y promovido el uso médico de esta sustancia.

Como conclusión a este epílogo y a todo el libro me quedo con unas sabias reflexiones de Erich Fromm de su libro "Psicoanálisis de la sociedad contemporánea":

"...EL HOMBRE EN TODAS PARTES ESTÁ ENCADENADO Y NO SE ROMPERÁN SUS CADENAS HASTA QUE NO SIENTA QUE ES DEGRADANTE ESTAR HIPOTECADO YA SEA A UN INDIVIDUO, YA AL ESTADO.

LA ENFERMEDAD DE LA CIVILIZACIÓN NO ES TANTO LA POBREZA MATERIAL DE LOS DEMÁS COMO EL DEBILITAMIENTO DEL ESPÍRITU DE LIBERTAD Y DE CONFIANZA EN SÍ MISMO.

NO SE LES CONCEDERÁ LA LIBERTAD DESDE ARRIBA, LA CONQUISTARÁN POR SÍ MISMOS.

LA REVOLUCIÓN QUE CAMBIARÁ EL MUNDO BROTARÁ NO DE LA BENEVOLENCIA QUE PRODUCE LA REFORMA SINO DE LA VOLUNTAD DE SER LIBRES".

.

En Perillo (Oleiros) La Coruña. Septiembre de 2014.

21-BIBLIOGRAFÍA –SED-SLT

*-.Erich Fromm: "El arte de amar". Ed. Paidós Estudio, Buenos Aires, Argentina. 1982.

*-.Erich Fromm: "Marx y su concepto del hombre". Fondo de cultura Económica.México.1962.

*-.Erich Fromm: "Ética y Psicoanálisis". Fondo de cultura económica .México.1957.

*-.Erich Fromm: "Psicoanálisis de la sociedad contemporánea". Fondo de Cultura Económica. México. 1955.

*-.Thomas Szasz:"Nuestro derecho a las drogas". Compactos Anagrama.2001.

*-.Thomas Szasz:"El mito de la enfermedad mental" Ed. Amorrortu. Buenos aires. Argentina.1973.

*-.Thomas Szasz:"La fabricación de la locura". Ed. Kairós. Barcelona. España.

*-. A. S. Neill. "Summerhill". Fondo de Cultura Económica. México .1963

*-.A.S.Neill."Padres problema y los problemas de los padres". Editores mexicanos unidos.1978.

*-.A.S. Neill. "Maestros problema y los problemas del maestro". Editores mexicanos unidos.1980.

*-.A. S. Neill."Neill, Neill, orange peel, Autobiografía" Fondo de Cultura Económica .México 1976.

*-.Jorge Reyes. "Si no te gusta este mundo, cámbialo." La casa de la ecología.Madrid.1997.

*-.Wilhelm Reich. "La función del orgasmo. El descubrimiento del orgón".Ed. Paidós. Buenos Aires. Argentina.

*-.Wilhelm Reich. "La biopatía del cáncer". Ed. Nueva Visión, Buenos Aires.Argentina.1985.

*-.Manuel Almendro. "Psicología y Psicoterapia Transpersonal." Ed. Kairós. Barcelona.

*-.Manuel Almendro. "Psicología del caos." Editorial La Llave.

*-.Iñaki Piñuel y Zabala."Mobbing: cómo sobrevivir al acoso psicológico en el trabajo". Ed. Sal Terrae. Santander. 2001.

*Andrew M. Lobaczewski: "Political Ponerology: a Science of the nature of evil ,adjusted for political purposes". Red Pill Press.1998(2009).New York University.

*-.Otto Gross:"Más allá del diván: apuntes sobre la psicopatología de la civilización burguesa". Ed. Alikornio.

*-.Vicente Garrido. "El psicópata". Ed. Algar. Alzira. Valencia. 2000

*-.Santiago Camacho. "Las cloacas del imperio". La esfera de los libros.

Madrid 2004.

*-.Augusto Cury: "Nunca renuncies a tus sueños". Ed. Planeta 2007/2010

*-.Adela Cortina : "La ética de la sociedad civil". Ed. Anaya . 1994.

*-. Mª Jesús Álava Reyes: "La inutilidad del sufrimiento: claves para aprender a vivir de manera positiva". La esfera de los libros . 2011.

*-.Antonio Damasio: "El error de Descartes".

*-."La sociedad abierta y sus enemigos". Karl Popper. Orbis.

*-.Emma Goldman: "Viviendo mi vida. Tomo I." Ed. Fundación de Estudios Libertarios Anselmo Lorenzo.

*-.Juan Antonio Vallejo Nájera. "Locos egregios". Ed. Planeta.

*-.Rosa Montero. "Historias de mujeres ."Alfaguara.

*-.Lucía Etxebarría. "La eva futura". Edic. Destino.

*-.Krishnamurti. Antología Básica.

*Kreimer y Arvallo. "Krishnamurti para principiantes". Ed. Era Naciente.

*-.Osho: "Autobiografía de un místico espiritualmente incorrecto". Ed. Kairós: Barcelona.

*-.Josefa Martín Luengo. "Paideia, 25 años de educación libertaria"

*-. María Mies y Vandana Shiva."Ecofeminismo".Icaria.

*-.Angeles Caso. "Las olvidadas".Planeta booket.

*-.Angel Pestaña. "Lo que aprendí en la vida". Tomo I.

*-.DSM- IV. TR . Masson.

*José María de Lera. "Ángel Pestaña: retrato de un anarquista". Argos. Barcelona.

*-.Charles Ashman and Sheldon Engelmayer:"Martha: the mouth that roared". Berkley Medallion Book.1973.

*-.Simone Weil. "L´enracinement"

*-.Emiia Bea Pérez. "Simone Weil. La memoria de los oprimidos."Ed.encuentro.1992

*-.Bertrand Russell: "La conquista de la felicidad".Random house Mondadori, 2002.

*-.Gilles Deleuze y Felix Guattari:"Capitalismo y esquizofrenia. El antiedipo".Paidós ibérica.2004

*-.Vivian Green."La locura en el poder". Editorial El Ateneo. Argentina.

*Informe 2012 de Amnistía Internacional: "El estado de los derechos humanos en el mundo".

22- WEBGRAFÍA LIBRO SED SLT:

1-. Falun gong:

-. Es.kaiwind.com

-.mx.china-embassy.org

-.spanish.faluninfo.net

-.http://www.falundafa.org/sp/falun-dafa-books.html

-.http://es.wikipedia.org/wiki/Falun_Gong

2-. Marina Trutko:

-.http://psiquiatrianet.wordpress.com/2008/05/11/psiquiatria-contra-disidentes/

3-. Vandana Shiva:

-.http://vandanashiva.blogspot.com.es/

-. http://www.navdanya.org/

4-. Alimentos que se tiran al mar:

-.http://www.lasexta.com/programas/salvados/noticias/comida-que-tira-europa-eeuu-puede-alimentar-todo-planeta_2012120900094.html.

-.http://www.gastronomiaycia.com/2010/09/13/se-tiran-millones-de-kilos-de-platanos-de-canarias/

-.https://www.eldia.es/palma/2010-03-18/4-plataneros-tiran-mes-dos-millones-kilos-fruta-vertedero.htm

5-. Krishnamurti:

-.http://es.wikiquote.org/wiki/Jiddu_Krishnamurti

6-. Políticos corruptos:

-.http://wiki.nolesvotes.org/wiki/Corrupt%C3%B3dromo

7-. Günter Weigand:

-

.https://portal.dnb.de/opac.htm?query=Woe%3D105636983&
method=simpleSearch

8-.Sobre eliminación de mendigos de nuestras calles:

-

.http://www.elmundo.es/magazine/num113/textos/ignacio1.h
tml

9-."Affaire Dutroux":

http://fr.wikipedia.org/wiki/Affaire_Dutroux

http://www.rtbf.be/info/regions/detail_il-y-a-16-ans-l-affaire-
dutroux-ebranlait-la-belgique?id=7813664

10-. Wilhelm Reich:

http://www.wilhelm-reich.org/funda.html

http://www.institutowilhelmreich.com/clinica04.php

http://www.esternet.org/

11-. A S Neill:

http://www.summerhillschool.co.uk/

12-.Thomas Szasz:

http://www.qfrases.com/thomas_szasz.php

13-.Otto Gross:

http://www.ottogross.org/

14-. Erich Fromm:

http://www.instfromm.org/

15-. Martha Mitchell:

http://www.encyclopediaofarkansas.net/encyclopedia/entry-detail.aspx?entryID=2085

16-. Marius Jacob:

http://www.cnt-f.org/video/videos/51-fiction-longs-et-courts-metrages-animations/375-marius-jacob-et-les-travailleurs-de-la-nuit

PORTADILLA INTERIOR DEL LIBRO:

A SOBRE EL AUTOR:Soy psicólogo,y, entre otras muchas cosas,miembro de Amnistía Internacional,he desarrollado varios trabajos alimenticios como camarero,discjockey,portero de pub y discoteca e incluso profesor particular de chavales de primaria y primero de ESO,asimismo he impartido docencia en la universidad en el marco de cursos extraordinarios.también he sido voluntario durante un año en el Centro Provincial de Coordinación de CruzRoja en Salamanca.

Actualmente vivo en un pueblecito enfrente y a las afueras de La Coruña,llamado Perillo en el ayuntamiento de Oleiros,con mi hermano y mis dos perros : Spook y Nikita.

B-. SOBRE EL LIBRO: tal y como lleva por título se trata de una breve reflexión de matiz sociopsicológico, sobre la sociedad enferma y demente en que vivimos, analizando con un poco de detalle los principales hechos que suponen ese diagnóstico y ,algunos de los principales críticos expertos y víctimas célebres de la represión por parte de esta sociedad en la que nos toca vivir.